LA MÉTHODE
DENISE CHARTRÉ
Être jeune à 90 ans

Distribution : Messageries de presse Benjamin
101, rue Henry-Bessemer
Bois-des-Fillion (Québec) J6Z 4S9
450-621-8167

LA MÉTHODE DENISE CHARTRÉ

Être jeune à 90 ans

Propos recueillis par
Pierre Richard

ÉDITIONS
LASEMAINE

LES ÉDITIONS LA SEMAINE
2050, rue de Bleury, bureau 500
Montréal (Québec) H3A 2J5

Directrice des éditions : Annie Tonneau
Directrice artistique : Lyne Préfontaine
Coordonnatrice aux éditions : Françoise Bouchard

Directeur des opérations : Réal Paiement
Superviseure de la production : Lisette Brodeur
Assistante-contremaître : Joanie Pellerin
Infographiste : Marylène Gingras, Marie-Josée Lessard
Scanneristes : Patrick Forgues, Éric Lépine
Réviseurs-correcteur: Marie Théorêt, Violaine Ducharme, Colombe Savard
Collaboration spéciale : Judith Blucheau, Dt.P. Nutritionniste

Photo de la couverture et intérieures : Stéphanie Lefebvre
Maquillage : Sylvy Plourde, Amélie Bruneau-Longpré
Styliste : Karine Lamontagne
Illustrations : Maude Bouchard-Furness

L'Éditeur bénéficie du soutien de la Société de développement des entreprises
culturelles du Québec pour son programme d'édition.

Nous reconnaissons l'aide financière du gouvernement du Canada par l'entremise
du Programme d'aide au développement de l'industrie de l'édition (PADIE) pour
nos activités d'édition.

Remerciements
Gouvernement du Québec — Programme du crédit d'impôt
pour l'édition de livres — Gestion SODEC.

© Charron Éditeur Inc.
Dépôt légal : premier trimestre 2010
Bibliothèque et Archives nationales du Québec
Bibliothèque et Archives Canada
ISBN : 978-2-923501-82-6

À mes enfants, Michelle
et Robert Furness

Prologue

Il y a des signes du destin auxquels on n'échappe pas.

Dans mon cas, il devait être écrit dans le ciel que la santé serait ma plus grande préoccupation dans la vie. Tout, dès le départ, a été un peu compliqué.

D'abord, mon baptême. La cérémonie devait avoir lieu à l'église de Saint-Casimir, dans le comté de Portneuf. Ça a été impossible... L'église était fermée à cause de la grippe espagnole qui sévissait. En cette année 1918, il a donc fallu se rendre dans le village voisin, à Saint-Thuribe, pour la cérémonie.

C'était le premier signe. Il y en aurait d'autres, plusieurs autres, qui allaient modifier et façonner ma vie. Mais ce n'est que beaucoup plus tard que je comprendrai que tout ce que je considérais comme des détours constituait plutôt une route bien balisée que je n'ai eu qu'à suivre.

*****

Exception faite du petit voyage obligé à Saint-Thuribe pour le baptême, les choses se présentaient plutôt bien. Je vivais dans une famille avec trois sœurs, trois frères et des parents aimants.

Un an après ma naissance, en 1919, papa décidait de retourner en Abitibi, à Macamic, où depuis 1913 il gérait un moulin à scie après avoir passé dix ans aux États-Unis, ce qui lui avait permis d'apprendre l'anglais, un avantage qui lui serait très profitable quelques années plus tard.

Entre-temps, en plus du moulin à scie, papa était propriétaire d'un bateau de croisière avec lequel il faisait des excursions sur le lac Macamic, quand il ne s'agissait pas de simples pique-niques pour les citadins qui aimaient se retrouver sur les berges sauvages du lac. Cependant, le bateau avait aussi une autre vocation et j'ai réalisé, à travers l'aura de mes souvenirs d'enfance, que l'achat de ce navire devait d'abord et avant tout faciliter l'approvisionnement en bois du moulin à scie. En effet, lorsque le bateau ne servait pas aux croisières, les hommes l'utilisaient pour diriger vers le moulin les rondins de bois que les bûcherons laissaient flotter sur le lac.

Étrangement, outre le bateau, la maison où nous vivions et le moulin, mes seuls souvenirs de cette époque concernent mes jeux. Élevée entre deux garçons, j'étais active, j'aimais bouger et, honnêtement, je n'étais pas très studieuse. Pas comme Isabelle, une de mes sœurs, qui, à l'âge de 18 ans, allait devenir enseignante.

À cette époque, on plaçait les filles au couvent et comme beaucoup de jeunes filles de son âge, Isabelle en est sortie avec une santé fragile à cause de la pauvre alimentation qu'on fournissait alors aux étudiantes. J'étais loin d'imaginer que des années plus tard, son manque de vigueur allait jouer contre moi.

Chose certaine, à 12 ans, je me retrouve en classe avec pour professeure ma sœur Isabelle. Malheureusement pour elle, le fait qu'elle soit ma sœur ne changeait rien à la situation et ne m'a surtout pas rendue plus studieuse. En fait, je ne voulais rien savoir d'elle et cinq ou six ans plus tard, j'ai quitté l'école sans être beaucoup plus savante que lorsque j'y étais entrée.

En dehors de l'école, il était facile de s'occuper et ce n'est pas le travail qui manquait, notamment avec la maison à entretenir et les repas à préparer pour tout le monde. Il faut également dire qu'en 1938, les temps étaient difficiles, d'autant plus que des rumeurs de guerre nous parvenaient d'Europe. Ce qui n'a pas empêché mon père d'ouvrir un moulin à scie à Malartic où on exploitait de plus en plus de mines d'or.

Papa avait eu de sérieux problèmes à obtenir des concessions de bois, quelques années auparavant. Conservateur reconnu, quand Louis-Alexandre Taschereau était au pouvoir, il lui était impossible d'en avoir. Toutefois, après 1936, quand Maurice Duplessis a pris le pouvoir, il a pu, avec le concours d'Émile Lesage, député à l'époque, se procurer des terrains pour la coupe du bois.

C'est grâce à cela, en partie, qu'il a ouvert un autre moulin à scie, en 1939, à Malartic. Il avait tout ce qu'il lui fallait : des concessions de bois, un moulin et des clients... Dans ce contexte, il fallait bien loger les mineurs et, à ce sujet, papa avait un avantage énorme sur tout le monde.

Il faut savoir qu'en ce temps-là, les dirigeants des mines étaient tous des anglophones. Et comme mon père, qui avait vécu dix ans aux États-Unis, parlait couramment anglais, il a rapidement pris le marché de fournisseur de bois pour les mines. Pour lui, les choses allaient bien...

Le deuxième signe

En ce qui me concerne, c'était un peu différent. J'effectuais les tâches ménagères avec ma mère et je commençais à en avoir assez. En réalité, j'avais pris conscience que les études, finalement, avaient du bon et je m'étais mis en tête de devenir infirmière. L'idée de travailler dans le domaine de la santé me plaisait bien.

Je voulais aller suivre mon cours en Ontario pour pouvoir, en même temps, apprendre l'anglais. Assez curieusement, je n'ai pas eu de difficulté à convaincre mon père et j'étais tout heureuse de savoir que j'allais retourner aux études quand j'ai constaté que ma sœur Isabelle s'opposait farouchement à ce que je quitte la maison.

Il est clair qu'elle n'avait pas l'intention de faire la cuisine ni le ménage et elle a persuadé mon père que mon projet n'avait aucun sens. Son principal argument concernait mon âge. En entreprenant de telles études, disait-elle, je n'obtiendrais un diplôme que quatre ou cinq ans plus tard, de sorte que je serais beaucoup trop vieille pour trouver un emploi – c'était une autre époque ! Il est vrai que j'aurais eu 24 ou 25 ans à l'obtention de mon diplôme, mais je me sentais vraiment prête à faire ces études.

Un autre élément, totalement imprévu, est venu ajouter du poids aux arguments d'Isabelle. Une autre de mes sœurs, Rachel, se séparait subitement de son mari et revenait vivre chez nous, à Malartic, avec ses cinq enfants ! Au total, on était dix-sept dans la maison de Roc d'Or.

Pour couronner le tout, et cela aussi c'était imprévisible, ma mère a paralysé ! Elle devait décéder quatre ou cinq ans plus tard.

Il était donc hors de question que je quitte la maison. Je me demande encore si ce ne sont pas toutes ces circonstances qui ont fait que j'ai fini par rompre avec mon gentil fiancé d'alors...

Puis, la guerre a éclaté, ce qui n'a pas causé d'ennuis aux affaires de mon père. Au contraire, en 1940, il ouvrait une « cour à bois ».

Pour mon frère Paul-Albert, les choses allaient cependant être bien différentes. Il avait alors 33 ans et c'était un homme très doux, incapable de faire du mal à une mouche. Sauf que la guerre a des exigences en hommes, alors on l'a sélectionné contre sa volonté. Quand les militaires sont venus le chercher, menottes aux poings, ils l'ont mis dans une voiture et ont repris la route. Quelques kilomètres plus loin, la voiture faisait une embardée et tombait dans une rivière. Paul-Albert s'y est noyé.

Quand les autorités militaires sont venues nous annoncer l'accident, ils nous ont aussi remis 250$ que Paul-Albert avait sur lui.

L'argent, une somme énorme à l'époque, est resté longtemps sur un meuble du salon, jusqu'à ce que je me décide à demander à mon père si je pouvais le garder. J'avais une bonne raison de faire cette demande. Je ne recevais aucun salaire pour le travail que j'effectuais à la maison et je n'avais même pas les 50 cents requis pour aller au cinéma le dimanche.

Je trouvais la situation pénible et comme je savais que mon père avait fait un testament qu'il avait rangé dans le coffre-fort de son bureau, j'avais décidé de le lire pour savoir ce qui m'attendait après son décès. Je n'ai pas eu besoin de jouer les Arsène Lupin puisque le coffre n'était pas verrouillé.

La lecture de ce document m'a laissée perplexe. Mon père ne me léguait pas grand-chose à l'exception de quelques parts de sa compagnie. Tellement peu, en fait, que je me suis sérieusement inquiétée de ce que j'allais devenir.

C'est donc après avoir pris connaissance de ses volontés que je me suis décidée à demander les 250$ qu'on avait retrouvés dans les poches de mon frère.

J'avais un projet en tête et il me fallait un minimum de moyens pour pouvoir le réaliser. À l'époque, on était abonné au journal La Presse et j'avais vu plusieurs publicités concernant des cours de coiffure, ce qui me faisait littéralement rêver.

Quand mon père a accepté de me donner l'argent, j'ai su que je pouvais me payer ce cours. En plus, papa avait une sœur qui vivait à Montréal et si je parvenais à la convaincre de me garder chez elle, je serais en mesure de suivre ce cours et de devenir coiffeuse.

Ne restait plus qu'à trouver comment aborder ma tante. Nous étions en 1943, j'avais alors 25 ans et j'étais bien décidée à changer ma vie.

C'est mon père, finalement, qui sans le vouloir m'a permis de mettre mon plan à exécution. Fin juin, c'était les vacances des parents et ils se rendaient à Québec. J'ai donc demandé qu'ils me laissent à Montréal, chez ma tante, en passant, ce qu'ils ont accepté de faire.

Une fois rendue chez ma tante, je me suis montrée persuasive et j'ai obtenu qu'elle me garde chez elle pour la durée de mon cours. Il faut dire que c'était courant d'héberger gratuitement des gens, à l'époque.

Quand mon père est revenu de Québec et qu'il a appris ma décision, il n'était pas heureux et il ne voulait surtout pas que je reste à Montréal. Il était hors de question de perdre la « bonne » de la maison! J'ai tenu mon bout: je suis restée à Montréal et j'ai suivi ce cours de coiffure.

Ma motivation était manifeste puisque j'ai été l'étudiante qui a été diplômée le plus rapidement à cette école. Pour expliquer cela, puisque j'ai déjà dit que je n'étais pas studieuse, il faut comprendre qu'à l'âge que j'avais, je n'avais pas l'intention de m'éterniser dans des salles de cours.

Sitôt mes cours terminés, je me suis trouvé un travail que je n'ai pas occupé très longtemps. Mon père, au fil du temps, s'était fait à l'idée que j'allais devenir coiffeuse et autonome et il m'a offert d'acheter l'équipement nécessaire à un salon de coiffure que je pourrais ouvrir à Malartic. Ce faisant, je renouais avec la maison et mes sœurs, ce qui n'était pas de tout repos, tellement que j'ai fini par suivre les conseils d'un ami: j'ai déménagé mon salon à Val-d'Or.

En même temps, ou presque, mon père mourait de maladie cardiaque. Si cette nouvelle m'a touchée autant que les autres enfants, j'avais cependant l'avantage d'avoir un amoureux que j'épousais peu de temps après mon déménagement à Val-d'Or.

Ce mariage n'a pas été heureux et s'est terminé quelques années plus tard, me laissant seule avec deux enfants. Pendant ces années, professionnellement, ça n'a pas été facile non plus. J'ai été dans l'obligation de fermer et d'ouvrir différents salons, tout comme j'ai dû subir plusieurs déménagements, mais, au bout du compte, tout semble me sourire à compter de 1960.

Cette année-là, j'ai déménagé mon salon dans un local qui avait bien besoin d'être rénové. Le propriétaire a proposé que je paye les rénovations en échange de quoi j'aurais le local pour cinq ans, sans autre loyer. J'ai accepté son offre et les rénovations ont été effectuées. Au même moment, une dame originaire de Montréal qui avait un gros salon de coiffure à Val-d'Or décidait de rentrer dans la métropole. J'ai récupéré une de ses coiffeuses et une partie de sa clientèle. Peu de temps après, un autre gros salon fermait ses portes, la propriétaire ayant décidé de s'installer à Gatineau.

Les affaires vont bien. Trop bien, même. Tellement que quelques années plus tard, après m'être acheté une maison, je décide d'agrandir le salon. En juin 1965, alors qu'il me reste encore un an de loyer à utiliser, un feu éclate dans l'édifice voisin. Rapidement, l'incendie se propage à l'édifice où se trouve mon salon et tout y passe. Grâce à un avocat de mes connaissances, je n'ai rien perdu et j'ai loué un grand local. Une semaine après l'incendie, le salon ouvrait de nouveau. Un véritable succès.

Cependant, mon goût pour la coiffure diminuait.

Depuis un moment déjà, je suivais des cours privés et j'assistais à des colloques internationaux traitant des nouvelles techniques de coiffure; j'avais découvert que la coiffure est une chose, mais que les soins capillaires en sont une autre. En 1963, je m'étais rendue à Amsterdam, au championnat mondial de la coiffure, et ensuite à Paris, au Festival de la coiffure. Dans cette ville, j'avais rencontré les représentants de la compagnie Capillo qui désiraient s'implanter au Québec.

Le projet me séduisait tellement que j'avais ouvert une clinique de soins capillaires, avec esthéticienne et manucure, un commerce que je menais de front avec le salon de coiffure.

À cette cadence, personne ne pouvait soutenir le rythme. Travaillant comme une forcenée, en me contentant d'une barre de chocolat pour dîner, je me suis vite retrouvée épuisée, d'autant plus que ma ménopause débutait et que j'avais encore deux adolescents à ma charge.

J'ai dû arrêter le travail et vendre mon salon. Un mal pour un bien.

Le dernier signe

Quand je suis tombée malade, j'ai été étonnée. Je croyais que je mangeais bien et je me faisais un devoir de prendre mes vitamines chaque matin. Je prenais cinq capsules, tous les jours.

Une amie spécialiste des jus santé m'a appris à en faire, puis j'ai rencontré un jeune homme, gérant du seul magasin d'alimentation naturelle qu'il y avait à Val-d'Or. Ce dernier s'est mis à me parler de Jean Rocan, un biologiste qui prônait la santé par les produits naturels. Il avait écrit un livre, *La médecine de demain*, dans lequel il donnait de bonnes explications sur le fonctionnement du corps et des malaises que l'on peut ressentir quand on manque de minéraux et de vitamines.

Le biologiste disait aussi dans quels aliments il était possible de trouver ces minéraux et vitamines et insistait de plus sur l'importance des combinaisons alimentaires.

Cette lecture a été un véritable coup de fouet, d'autant plus qu'il fallait vraiment que je recouvre la santé.

En un rien de temps, j'ai changé toutes mes habitudes alimentaires. D'abord, je me suis débarrassée des capsules que j'avalais chaque matin. Ensuite, je me suis mise à fabriquer mon yogourt et j'étais certaine de bien m'alimenter, même si je ne savais pas, par exemple, que le lait et les fruits ne vont pas ensemble.

Il m'en a fallu du temps pour bien comprendre et assimiler toutes les façons de donner au corps le maximum de chances de bien fonctionner.

Le temps passait et je retrouvais ma santé, doucement.

Il y avait alors trois ans que j'avais vendu le salon sur la base d'une drôle d'entente. Une de mes coiffeuses l'avait repris en m'offrant un montant d'argent à la signature du contrat de vente et la promesse d'un autre montant, trois ans plus tard, pour compléter la transaction. Quand le moment est venu de me payer, elle m'a expliqué qu'elle était incapable de le faire et m'a donc rendu le commerce, ce qui m'a un peu ébranlée. La mode de la coiffure avait changé et, personnellement, je n'avais plus le goût de pratiquer ce métier.

Dans les circonstances, il était cependant bien difficile de refuser et j'ai repris le collier en me disant que je pourrais mettre l'accent sur les soins capillaires. Il faut dire que pendant ma convalescence, j'avais travaillé avec un chimiste pour mettre au point un produit plus performant que celui de la compagnie Capillo. À force de tentatives et de recherches, on avait réussi et quand est venu le temps de renouveler le bail de mon commerce, j'ai décidé d'abandonner la coiffure. Le loyer était trop cher et j'avais envie de ne m'occuper que de soins capillaires.

Envers et contre tous, je me suis donc installée chez moi, à l'extérieur de la ville de Val-d'Or, et j'ai organisé ma vie de façon complètement différente, me contentant de travailler trois jours et trois soirs par semaine, incluant l'alimentation dans mon programme, tout comme le vélo, le ski de fond et le golf. Sans m'en rendre compte, j'étais en quête d'un équilibre entre la santé psychique, spirituelle et physique, et mes recherches sur la santé capillaire exacerbaient ma sensibilité à tout ce qui concernait la santé.

C'est ainsi que je me suis un jour arrêtée devant mon écran de télévision pour prêter attention aux propos d'une femme, Madeleine Turgeon, qui venait de publier un livre sur la réflexologie, la circulation de l'énergie à l'intérieur du corps.

Quand je suis arrivée à Montréal, en 1987, j'ai contacté cette spécialiste pour savoir s'il existait des ateliers de formation qui me permettraient d'enrichir mes connaissances. Il y en avait effectivement et, pendant quatre fins de semaine, j'ai étudié le rôle de l'énergie dans l'organisme avant de poursuivre mon éducation en puisant dans l'abondante documentation disponible sur les rayons des bibliothèques et des librairies.

Grâce à tout cela, j'ai réussi à développer ma propre méthode et j'ai entrepris de l'enseigner à cinq personnes que je rencontrais deux fois par semaine pour des cours d'une durée de deux heures. Peu à peu, ces gens ont commencé à changer. Leur alimentation, tout d'abord, et ensuite, ils ont appris à faire circuler adéquatement leur énergie jusqu'à ce qu'ils en arrivent à constater eux-mêmes un changement total de leur état de santé. Aujourd'hui, ces personnes se font dire, tout comme moi : « Tu n'es jamais malade ! »

C'est tant mieux. Et c'est à la portée de tous : C'est bien ce que j'entends vous démontrer dans ce livre.

Témoignages

Au fil des années, je suis devenue une spécialiste des soins capillaires. Avoir de beaux cheveux est extrêmement important pour moi, autant que d'avoir une bonne santé ou bien se nourrir. D'ailleurs, l'un ne va pas sans l'autre et je n'ai jamais cessé de le répéter à mes clientes. Tout en faisant le traitement de leurs cheveux, je leur expliquais l'importance d'une bonne nutrition et je leur faisais une description de mes habitudes alimentaires. Peut-être pas de façon aussi détaillée que ce que je viens de faire dans ce livre, mais de façon suffisamment explicite pour qu'elles comprennent le fonctionnement de notre organisme et des combinaisons alimentaires.

Plusieurs personnes parmi celles que j'ai côtoyées ont modifié leurs habitudes alimentaires et se sont mises à bouger un petit peu et à activer leurs chakras. Au départ, pour plusieurs, c'était par curiosité ou même, par coquetterie. Le temps passant, ces personnes ont constaté à quel point elles se sentaient mieux et à quel point leur physique se modifiait, toujours pour le mieux! Certaines d'entre elles ont tenu à me le faire savoir. Voici donc quelques témoignages :

« Ma bonne fée,
Ma belle Denise

« Je voulais te souhaiter pour l'année 2002 une très belle et très heureuse année et aussi, par la même occasion, te dire combien tu comptes à mes yeux et aux yeux de ceux qui te côtoient depuis qu'ils ont eu la chance, tout comme moi, de croiser ton chemin merveilleux.

« Je me rappellerai toujours mon premier rendez-vous dans ton salon. J'y suis entrée découragée et j'en suis sortie pleine d'espoir car pour moi, avoir des cheveux, c'est comme être en santé. Ça va ensemble : pas de cheveux, pas de santé ! »

« Certains ne verront jamais la différence. Moi, si ! Tout devenait différent ! Plus d'inquiétude, le goût de vivre bien et de prendre soin de moi. Tout cela vient de toi !

« Je suis convaincue que ceux qui ont eu la chance de te côtoyer tout comme moi ne veulent pas te perdre. Donc, il ne t'est pas permis de nous abandonner. Je le regrette, mais tu as pris trop de place dans nos vies et il n'y aura jamais une autre Denise pour te remplacer.

« Tu es une gagnante ! Tu as su réussir ta vie comme personne. Tu as confiance en toi et en ta formule et tu as entièrement raison !

« Ce n'est pas gentil ce que je dis. C'est la simple vérité, je te le jure !!!!

« Dans le fond, ce n'est pas juste pour ça que je voulais t'écrire aujourd'hui. Je voulais te dire ce que je dirais si on me demandait de te décrire.

« Je dirais : Denise, c'est une personne qui se donne entièrement, à tout le monde.

« Denise, c'est une personne qui sait écouter, sans jamais juger...

« Denise, elle a le cœur gros comme la Terre.

« Denise, c'est la sagesse même !

« Enfin, Denise, je t'apprécie en tant qu'amie, en tant que conseillère, en tant que cliente, en tant qu'élève. Je t'apprécie et remercie Dieu d'avoir eu la gentillesse de te placer sur ma route.

« Merci ! »

– Danielle Beauregard,
Sainte Catherine, 28 décembre 2001

« **Bonjour Madame Chartré**

« Après ma formation en capilliculture et nos rencontres enrichissantes ainsi que toutes les informations reçues, je tenais à vous rendre un témoignage de reconnaissance.

« Depuis une dizaine d'années, mes cheveux s'étaient détériorés, principalement à cause du stress. Ils ont fini par casser et tomber de plus en plus, suffisamment pour que je m'inquiète vraiment du problème. C'était il y a un an, une époque où j'en étais rendue à utiliser des rallonges pour me coiffer. J'en pleurais ! Moi qui, à l'origine, avais une chevelure fine et mince, je devais vivre avec un cuir chevelu gras et des cheveux poreux !

« Quand on m'a donné votre brochure sur la capilliculture, je ne savais pas ce à quoi je devais m'attendre, mais j'ai décidé de suivre votre cours en espérant retrouver une belle chevelure. Après quelques soins, à ma grande surprise, j'ai constaté que mes cheveux repoussaient sur les tempes. Je montre le résultat à tous en leur expliquant que ça fonctionne pour tout le monde. Vraiment !

« Je vous remercie d'être là, de m'avoir communiqué votre savoir et de m'avoir redonné espoir.

« Remerciements sincères. »

– Dominique Le Bel,
Saint-Sauveur, 12 octobre 2009

« **Bonjour Madame Chartré**

« Au retour d'un voyage de trois mois et après avoir pris un tonique pour fortifier mon système immunitaire, j'ai constaté que je perdais mes cheveux. Quand je me lavais la tête, mes cheveux s'emmêlaient au point où je devais les couper et je les perdais par plaques, surtout sur le dessus de la tête.

« La situation était à ce point désespérée que je songeais sérieusement à acheter des rallonges ou une perruque. C'est alors que ma fille m'a parlé de l'article du magazine « La Semaine » vous concernant.

« J'ai pris rendez-vous et vous m'avez alors redonné espoir en m'expliquant que ma situation n'était pas désespérée, mais qu'il faudrait quand même un peu de temps pour obtenir de bons résultats. Je suis sceptique et je n'accorde pas ma confiance facilement, mais j'ai quand même décidé de m'accorder toutes les chances. J'ai donc coupé mes cheveux et suivi vos traitements. Après sept à huit semaines, les résultats étaient probants : mes cheveux étaient plus doux, plus brillants, avaient l'air plus en santé et recommençaient à pousser.

« Je vous remercie de tout : de vos soins capillaires, de vos lectures, de votre expérience, de vos conseils !

« Merci encore de vos bons conseils ! »

– Édith Perron,
huit septembre 2009

CHAPITRE 1

Des règles simples et faciles

L'admirable chanteur et guitariste Henri Salvador avait bien raison : pas besoin de médecin de famille, même à 90 ans !

Évidemment, il faut quand même se donner les moyens de pouvoir espacer nos visites chez le médecin et pour y parvenir, il y a des règles de base à respecter et des éléments qu'il est nécessaire de connaître. La santé, d'une façon générale, n'est pas mon métier, mais au fil des ans, j'ai appris par mes lectures et mes études à bien prendre soin de moi, ce qui m'a permis de conserver une santé à toute épreuve et de ne jamais être malade.

Le plus curieux de toute cette affaire, c'est qu'il s'agit de mettre en pratique des règles simples et faciles qui demandent peu de temps. Il n'y a pas d'âge pour appliquer ces principes. On peut commencer très jeune ou alors, disons, à partir du moment où on a acquis un peu plus de sagesse. Peu importe, il n'est jamais trop tard ! Personnellement, j'ai commencé il y a une trentaine d'années et il est évident que je n'ai pas appliqué l'ensemble de mon programme dès la première journée. Tout cela s'est fait graduellement jusqu'à ce que j'en arrive à une méthode complète qui me permet de rester en forme, de travailler (hé oui !) et de ne pas dépendre de ma famille. Et je ne cesse de m'émerveiller en songeant à quel point il est agréable de vivre sans maladie, sans l'inquiétude du vieillissement ou de la peur de ne plus avoir sa place dans la société. Parce que, en demeurant actif et en santé, il nous est toujours possible d'apporter quelque chose de valable à notre entourage et d'en retirer un sentiment de satisfaction.

Avec l'âge, on atteint un degré de sagesse et un certain détachement qui nous donnent un meilleur jugement. Il est important de cultiver ces avantages plutôt que de vieillir difficilement. Autrefois, les personnes âgées étaient considérées comme des sages et on les consultait. Les choses ont bien changé et il arrive trop souvent que les gens voient venir la vieillesse avec effroi en se disant qu'ils ne seront plus utiles et qu'ils devront consommer des masses de médicaments pour continuer à fonctionner. C'est malheureux. Non seulement ces médicaments sont parfois abrutissants, mais en plus ils coûtent une fortune! Si le gouvernement utilisait cet argent pour éduquer les gens, tout le monde s'en porterait mieux.

Je n'ai pas inventé la méthode que j'ai mise au point. Je l'ai développée au cours des 30 dernières années en recueillant des renseignements et en effectuant des recherches dans divers documents émis par de grands spécialistes de la santé. Quand je voyais quelque chose de nouveau, je l'essayais et si j'en ressentais les bienfaits, je l'adoptais. Ma méthode est, en fait, l'amalgame de toutes mes observations.

Je le répète: il n'est pas nécessaire d'y adhérer en bloc. Laissez-vous la chance d'évoluer doucement et de vous diriger à votre rythme vers un état de santé qui vous rendra la vie beaucoup plus agréable. Ça va fonctionner. Après tout, moi, ça m'a pris 30 ans pour accumuler ce savoir et je dois avouer que j'ai commencé sans trop pouvoir prédire où tout ça me mènerait.

Honnêtement, c'est surtout la curiosité qui m'a poussée. J'ai d'abord fait un pas. Puis un second. Et un autre, jusqu'à ce que j'en arrive aux conclusions que je souhaite maintenant partager avec vous. Comme je l'ai dit, les moyens que je vous présente sont simples. Avoir une alimentation saine, faire un peu d'exercice, éliminer ses toxines et bien faire circuler son énergie dans le corps (ce que l'on appelle les chakras) est à la portée de tout le monde. Il suffit de savoir ce qu'on doit faire et ce qu'il faut manger. On ne doit pas voir tout cela comme une obligation à laquelle on ne peut jamais déroger. Pour ma part, même si j'en suis rendue à la cuisine végétarienne, je ne refuserai jamais, chez des amis, un repas où il y a de la viande. Si c'est bien apprêté, je l'apprécierai sûrement, mais je sais que j'en subirai ensuite les conséquences, car mon organisme est maintenant habitué à une autre alimentation.

D'ailleurs, en parlant d'aliments, puisque nous aborderons cette question après celle des chakras, il est clair qu'il faudra s'attarder sur les combinaisons alimentaires, ce qui est la base d'une bonne santé. Vous allez probablement constater à quel point l'alimentation traditionnelle ne nous aide pas, même s'il ne faut pas perdre de vue que cette alimentation est le résultat de siècles de cuisine où il fallait se nourrir avec ce qui était disponible. Aujourd'hui, heureusement, la vie est beaucoup plus facile et il n'y a plus de raison pour se priver d'être en bonne santé.

Alors commençons donc tout de suite...

Débloquer son énergie

Ce que contient ce chapitre est non seulement une liste de petits gestes qui ne vous demanderont que quelques secondes de votre temps pour retrouver le bien-être, mais aussi l'explication de ces petits gestes et des raisons qui font qu'il est possible de retrouver son énergie aussi rapidement.

Parlons d'abord des chakras ou, comme le disent certains, du cakra. Le Larousse nous en offre la définition suivante : « sanskrit, signifiant roue, disque et désignant le disque solaire de Vishnou et chacun des sept centres psychiques du "corps subtil", dans le yoga. » Cette information est exacte, mais le mot n'est pas utilisé que par les yogis et il est possible de compléter la définition en ajoutant que les chakras sont des tourbillons d'énergie, des lieux d'échange entre l'énergie de l'être humain et celle de l'Univers. La théorie traditionnelle veut que ces sept principaux centres physiques aient donné naissance aux glandes endocrines qui, en agissant les unes sur les autres, déterminent le tempérament, le caractère et la personnalité d'un individu, ainsi que ses facultés tant spirituelles que physiques.

L'alignement des chakras ou de nos tourbillons énergétiques permet d'établir l'équilibre émotif et peut faire naître la paix intérieure.

Le premier chakra se trouve entre l'anus et les organes sexuels alors que le second est au centre de l'abdomen, le troisième au plexus solaire, le quatrième au centre du thorax (le chakra du cœur), le cinquième à la base de la gorge, le sixième au centre du front et le chakra suprême, le septième, au sommet de la tête.

Tous ces courants énergétiques exigent qu'on les stimule pour nous venir en aide. Il s'agit d'une routine simple, rapide et réconfortante. Vos mains vous seront d'une grande utilité dans la stimulation de vos chakras. Ce sont elles qui vous permettront de mettre le circuit en branle et de chasser les mauvaises énergies.

Les 7 chakras

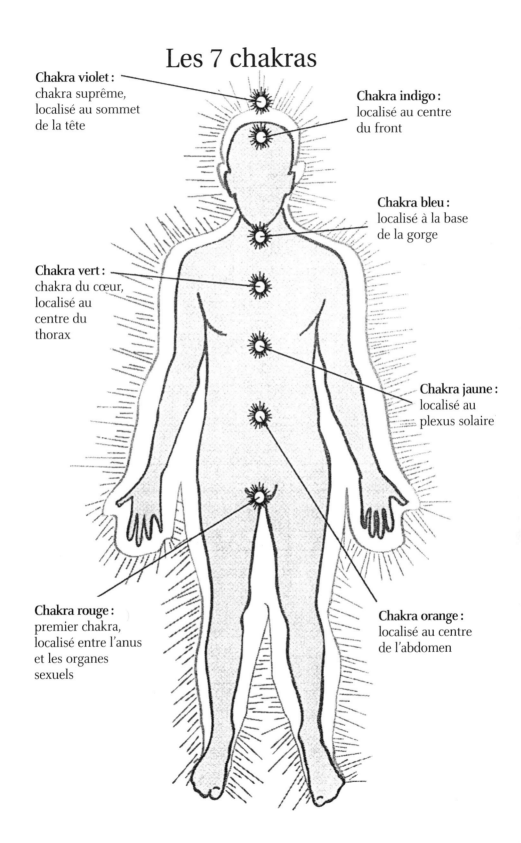

Chakra violet : chakra suprême, localisé au sommet de la tête

Chakra indigo : localisé au centre du front

Chakra bleu : localisé à la base de la gorge

Chakra vert : chakra du cœur, localisé au centre du thorax

Chakra jaune : localisé au plexus solaire

Chakra rouge : premier chakra, localisé entre l'anus et les organes sexuels

Chakra orange : localisé au centre de l'abdomen

CHAPITRE 2

Comprendre les méridiens et l'énergie qui circule en nous

Au début du chapitre précédent, j'ai abordé la question des chakras ou des roues d'énergie qui nous habitent. Il faut aussi savoir que ces « roues d'énergie » sont directement liées à des méridiens qui parcourent tout notre corps et qui activent nos organes si les méridiens sont adéquatement stimulés.

Si, au premier abord, tout cela peut sembler bien ésotérique, ce n'est pourtant pas le cas. En effet, depuis déjà très longtemps, les scientifiques se sont penchés sur ces questions ; ils en sont arrivés à la conclusion que l'énergie des méridiens est de nature électrique et que la fonction de ces « canaux transmetteurs » est d'acheminer efficacement l'énergie indispensable à notre corps.

Selon le docteur Stephen Chang, un spécialiste de la médecine chinoise et occidentale et aussi docteur en philosophie, il y a douze méridiens principaux, chaque méridien étant relié à un des cinq organes (cœur, rate-pancréas, poumons, reins et foie) et à un des six excréteurs (gros intestin, vessie, système endocrinien interne, vésicule biliaire, intestin grêle et estomac) ainsi qu'au péricarde. Cependant, il est erroné de croire que ce système fonctionne en vase clos. Ce n'est pas parce qu'un méridien est rattaché au cœur que l'énergie qu'il véhicule s'arrête à cet organe. L'énergie pénètre par un point d'entrée, circule le long du méridien jusqu'à l'organe concerné avant d'en ressortir et de gagner le méridien suivant.

Comme les méridiens sont les vecteurs de notre énergie, il convient de bien les masser afin d'aider le corps à contrôler l'énergie qui contribue à conserver un corps en bonne santé et qui s'avère le fondement de la croissance spirituelle. Une personne qui exécute ces massages tous les jours jouit non seulement de l'absence de maladie et de douleur, mais elle éprouve aussi un incroyable état de bien-être qui lui permet de vieillir sans inquiétude et même avec un certain enthousiasme, sachant qu'elle porte en elle une vitalité et une lucidité qui découlent d'une vie libre de toute crainte de troubles de santé ou de faiblesse.

J'ai expliqué plus tôt qu'on lie les chakras aux sept glandes endocrines, lesquelles sont les véritables banques énergétiques du corps. Elles ont toutes un effet sur les fonctions corporelles. Elles travaillent ensemble dans une parfaite harmonie et régularisent la circulation de l'énergie dans le corps. En fait, on peut les comparer à des transformateurs ou à des générateurs électriques. Grâce aux massages et à l'établissement d'une bonne circulation énergétique, on parvient à doter ces glandes de capacités encore supérieures. Cependant, il est facile de ne pas y arriver. Il suffit d'un peu de stress et de tension pour restreindre le bon fonctionnement des organes, empêchant l'organisme d'absorber toute substance nutritive nécessaire à la régénération des cellules ou à la restauration de la santé.

C'est pourquoi, outre une bonne alimentation et les massages, il est nécessaire d'atteindre aussi une harmonie intérieure. Ces trois éléments réunis, la vieillesse s'envisage sereinement.

Fils conducteurs

Cartographie

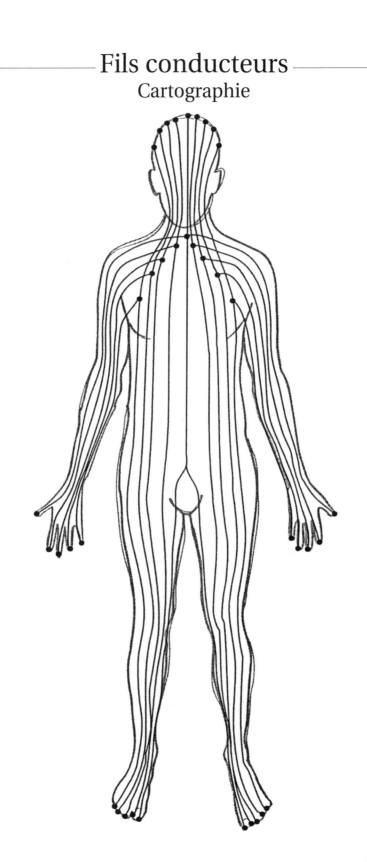

Méridien du foie

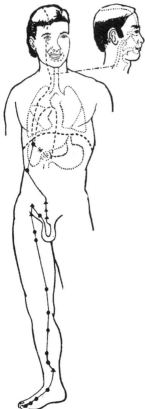

Méridien du gros intestin

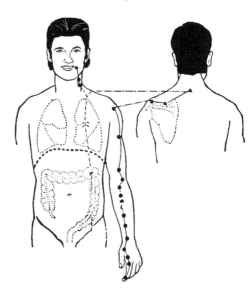

Méridien Maître du coeur

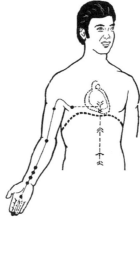

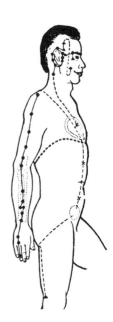

Méridien du poumon

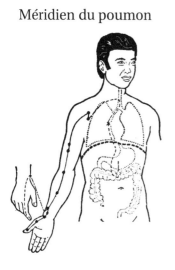

Le cerveau émotionnel

Quand on abordera le massage de la tête, il sera question de « cerveau émotionnel ». Cette notion, si elle semble elle aussi ésotérique, est pourtant amenée par le docteur David Servan-Schreber, un médecin français, qui soutient qu'il s'agit d'un « cerveau dans le cerveau » qui possède une architecture bien à lui et même une organisation cellulaire différente ainsi que des propriétés différentes du reste du cerveau. Toujours selon le médecin, ce « cerveau émotionnel » fonctionne souvent de façon indé-pendante du reste du cerveau et, par exemple, le langage et la cognition n'ont sur lui qu'une influence limitée.

Ce cerveau aurait pour principales fonctions de contrôler tout ce qui régit le bien-être psychologique et une grande partie du bien-être physiologique, dont le fonction-nement du cœur, de la tension artérielle, des hormones, du système digestif et même du système immunitaire. Ainsi, les désordres émotionnels sont la conséquence du dysfonctionnement de ce « cerveau émotionnel », même si ces désordres proviennent d'expériences douloureuses et lointaines qui n'ont rien à voir avec le présent.

Il est donc crucial que cette partie du cerveau soit en harmonie avec l'autre qui, elle, contrôle la cognition, le langage et le raisonnement, d'autant plus que le « cerveau émotionnel » serait doté d'étonnantes capacités d'autogué-rison. Lorsque le cerveau émotionnel et le cerveau cognitif se complètent, l'un pour donner une direction à ce que nous voulons vivre (l'émotionnel) et l'autre pour nous faire avancer dans cette voie le plus intelligemment possible (le cognitif), notre harmonie intérieure est telle que nous avons le sentiment d'en être rendus au point que nous vou-lions atteindre dans la vie.

Quand ce point est atteint, on possède l'« intelligen-ce émotionnelle » qui s'exprime au mieux lorsque les deux systèmes cervicaux travaillent de pair. Dans cet état, les pensées, les décisions, les gestes s'agencent naturellement ce qui optimise le fonctionnement du cœur pour résister au stress, contrôler l'anxiété et maximiser l'énergie vitale qui est en nous.

Encore une fois, le stress est l'ennemi numéro un d'une vieillesse en santé. Dans les prochaines pages, nous allons voir comment une bonne alimentation est tout aussi essentielle pour jouir d'une vie en santé et sans soucis. Par la suite, je vous décrirai des exercices intimement liés à l'entretien régulier de nos chakras et qui constituent d'excellents antistress.

CHAPITRE 3

Des recettes pour une nouvelle alimentation

Nous voici donc rendus au moment de tenter nos expériences culinaires. Comme je l'ai dit, je suis maintenant une adepte de la cuisine vivante, ayant éliminé de mes menus toutes les viandes. Cependant, je le répète, j'en suis arrivée à cette forme d'alimentation avec le temps, en effectuant diverses expériences et en constatant les bienfaits de cette alimentation dans mon quotidien.

Je peux comprendre que ce n'est pas tout le monde qui veut ou qui peut passer directement à ce type d'alimentation. En plus, même si ce livre est consacré principalement à la bonne santé des aînés, je comprends parfaitement qu'il y a des circonstances (quand on reçoit des amis ou des parents, par exemple, ou encore quand il faut faire manger les enfants) où il faut se permettre une légère dérogation à nos règles alimentaires.

C'est pourquoi je vous propose quelques recettes de « transition ». Dans certains cas, vous le verrez, il y a de la viande. Il y a plus souvent du poisson, mais c'est apprêté de belle manière et de façon à ce qu'il soit savoureux et même amusant à manger.

Donc, 11 des 32 recettes suivantes s'adressent à ceux qui veulent essayer une alimentation saine, radicalement différente de nos habitudes alimentaires, mais qui ne rejoignent pas totalement ma philosophie.

RAVIOLIS À LA FLORENTINE

Toutes les saveurs de l'Italie s'expriment dans la simplicité : un soupçon d'épices, un peu d'huile et le repas se retrouve sur la table en quelques minutes, surtout si vous utilisez des épinards et des tortellinis ou raviolis surgelés.

Portions : 4 d'environ 375 ml (1 1/2 tasse) chacune
Temps de préparation : 20 minutes
Préparation et cuisson : 20 minutes

1 paquet de 600 g (20 oz) de raviolis ou tortellinis au fromage, surgelés (1 L ou 4 tasses)

30 ml (2 c. à soupe) d'huile d'olive extravierge, à partager

4 gousses d'ail, émincées

1 ml (1/4 c. à thé) de sel

0,5 ml à 1 ml (1/8 à 1/4 c. à thé) de piment rouge broyé

1 paquet de 475 g (16 oz) d'épinards surgelés

125 ml (1/2 tasse) d'eau

60 ml (1/4 tasse) de parmesan fraîchement râpé

Faire bouillir de l'eau dans une grande marmite et cuire les raviolis ou les tortellinis selon les instructions.

Pendant ce temps, chauffer à feu moyen 10 ml (2 c. à thé) d'huile dans une poêle antiadhésive et faire revenir l'ail environ 30 secondes. Ajouter le sel, le piment rouge broyé, les épinards et l'eau. Cuire en remuant fréquemment jusqu'à ce que les épinards dégèlent et se fanent, pendant environ 5 à 7 minutes.

Placer la préparation dans quatre bols, recouvrir de pâtes et répandre 5 ml (1 c. à thé) de l'huile restante sur chacun des plats. Saupoudrer de parmesan et servir.

Valeur nutritive par portion : 277 calories, 13 g de gras (4 g sat., 9 g mono.), 25 mg de cholestérol, 14 g de protéines, 6 g de fibres, 654 mg de sodium, 706 mg de potassium.

CREVETTES, STYLE NOUVELLE-ANGLETERRE

Qui n'a pas le goût d'une bonne crevette croquante? Cette recette toute simple et rapide permet d'éviter la haute friture en la remplaçant par un tout petit peu d'huile. Avec 9 g de gras et 213 calories par portion, vous pouvez vous sentir à l'aise de manger ce plat.

Portions : 4
Temps de préparation : 20 minutes
Préparation et cuisson : 20 minutes

---

250 ml (1 tasse) de bière blonde (de la ale, de préférence, ou toute bière pâle)

---

250 ml (1 tasse) de farine de blé entier pour pâtisserie ou, si vous n'en avez pas, de farine ordinaire

---

5 ml (1 c. à thé) de moutarde de Dijon

---

2 ml (1/2 c. à thé) de sel, à partager

---

10 ml (2 c. à thé) d'huile de canola, à partager

---

450 g (1 lb) de crevettes fraîches (13 à 15 par lb), carapaces enlevées et déveinées mais on conserve la queue

---

Poivre moulu, au goût

Dans un bol, mélanger la bière, la farine et 1 ml (1/4 c. à thé) de sel. Fouetter jusqu'à l'obtention d'une consistance lisse.

Cuire la moitié des crevettes. Attendre d'avoir cuit le premier lot avant d'entreprendre le deuxième. Pour le premier lot, chauffer à feu moyen 5 ml (1 c. à thé) d'huile dans une grande poêle antiadhésive. Tremper les crevettes une à la fois dans la pâte en les tenant par la queue et laisser égoutter le surplus de pâte. Placer ensuite les crevettes dans la poêle chaude sans qu'elles se touchent. Cuire de 3 à 4 minutes jusqu'à ce que la pâte soit d'une belle couleur dorée de chaque côté. Placer sur un plateau.

Essuyer la poêle. Verser 5 ml (1 c. à thé) d'huile restante et faire chauffer à feu moyen-élevé. Cuire les autres crevettes de la même façon que les premières. Assaisonner les crevettes du 1 ml (1/4 c. à thé) de sel restant et du poivre et servir.

Valeur nutritive par portion: 213 calories, 9 g de gras (1 g sat., 5 g mono.) 172 mg de cholestérol, 7 g de glucides, 24 g de protéines, 1 g de fibres, 351 mg de sodium, 210 mg de potassium.

FILETS DE POISSON CROUSTILLANTS

Le germe de blé est un de ces ingrédients qu'on achète une fois et qui, par la suite, ne nous sert plus souvent. Pourquoi ne pas en ajouter à la panure d'un filet de poisson? Ce petit truc permet d'obtenir des fibres supplémentaires...

Portions : 4
Temps de préparation : 10 minutes
Préparation et cuisson : 25 minutes

60 ml (1/4 tasse) de germe de blé grillé

30 ml (2 c. à soupe) de pacanes hachées

15 ml (1 c. à soupe) de persil frais haché

1 gousse d'ail, émincée

1 ml (1/4 c. à thé) de sel

0,5 ml (1/8 c. à thé) de poivre de Cayenne

4 filets de poisson de 120 g (4 oz) chacun (poisson à chair blanche)

Chauffer le four à 220 °C (425 ° F). Huiler légèrement une plaque de cuisson.

Dans un bol, mélanger le germe de blé, les pacanes, le persil, l'ail, le sel et le poivre de Cayenne. Verser le tout dans un moule à tarte. Enduire les filets de la préparation et les placer sur la plaque de cuisson. Cuire 12 à 15 minutes, jusqu'à ce que les filets de poisson perdent leur transparence.

Servir avec des quartiers de citron.

Valeur nutritive par portion : 207 calories, 12 g de gras (2 g sat., 6 g mono.), 53 mg de cholestérol, 4 g de glucides, 20 g de protéines, 1 g de fibres, 206 mg de sodium, 431 mg de potassium.

THON POMODORO

Inspiré du célèbre plat italien «al tonno», ce repas de pâtes rapide, facile et santé deviendra rapidement un de vos favoris, particulièrement si vous avez des pâtes de blé entier.

Portions : 4
Temps de préparation : 25 minutes
Préparation et cuisson : 25 minutes

240 g (8 oz) de spaghettis de blé entier

30 ml (2 c. à soupe) d'huile d'olive extravierge

15 ml (1 c. à soupe) d'ail émincé

2 anchois, émincés (en option)

1 ml (1/4 c. à thé) de piment rouge broyé (ou au goût)

1 boîte de tomates en dés de 796 ml (28 oz)

1 boîte de thon de 170 g (6 oz) égoutté et émietté

30 ml (2 c. à soupe) de basilic fraîchement haché

Faire bouillir une grande quantité d'eau et cuire les spaghettis selon les instructions inscrites sur l'emballage. Égoutter.

Pendant ce temps, chauffer l'huile à feu moyen-élevé dans une grande poêle antiadhésive. Ajouter l'ail et cuire environ 1 minute. Ajouter les anchois (si désiré) et le piment rouge broyé et cuire encore 30 secondes.

Ajouter les tomates, réduire le feu à moyen et laisser mijoter en remuant de temps à autre pendant 8 minutes. Ajouter le thon et cuire jusqu'à ce qu'il se mêle à la sauce, soit environ 2 autres minutes.

Diviser les spaghettis en quatre portions, napper de sauce et décorer de basilic. Servir aussitôt.

Valeur nutritive par portion : 349 calories, 8 g de gras (1 g sat., 6 g mono.), 27 mg de cholestérol, 50 g de glucides, 22 g de protéines, 9 g de fibres, 33 mg de sodium, 139 mg de potassium.

HARICOTS ROUGES DES ÎLES

Portions : 8 d'environ 180 ml (3/4 tasse) chacune
Temps de préparation : 20 minutes
Préparation et cuisson : 50 minutes

15 ml (1 c. à soupe) d'huile d'olive extravierge

4 gousses d'ail, pelées et pressées

2 piments Anaheim ou de chili, coupés en dés

1 petit oignon, coupé finement en dés

125 ml (1/2 tasse) de coriandre fraîche finement hachée
et quelques feuilles supplémentaires pour la décoration

4 boîtes de 425 ml (15 oz) de haricots rouges, rincés

125 ml (1/2 tasse) de sauce tomate

2 ml (1/2 c. à thé) d'origan séché

1 ml (1/4 c. à thé) de poivre fraîchement moulu

0,5 ml (1/8 c. à thé) de sel

250 à 750 ml (1 à 3 tasses) d'eau

Chauffer l'huile dans une grosse casserole. Ajouter l'ail, les piments, l'oignon et la coriandre et cuire jusqu'à ce que l'oignon devienne tendre, soit de 3 à 4 minutes.

Ajouter les haricots, la sauce tomate, l'origan, le poivre et le sel et mélanger. Ajouter de 250 à 750 ml (1 à 3 tasses) d'eau pour couvrir les haricots de 2,5 cm (1 po) d'eau (pour des haricots tendres, ajouter une plus grande quantité d'eau) et porter à ébullition. Baisser le feu et laisser mijoter en remuant occasionnellement pendant 30 minutes.

Ajouter une ou deux feuilles de coriandre et servir.

Valeur nutritive par portion : 221 calories, 3 g de gras (1 g mono.),
38 g de glucides, 12 g de protéines, 15 g de fibres, 616 mg de sodium,
691 mg de potassium.

SOPA DE PLATANOS

Portions : 8 de 250 ml (1 tasse) chacune
Temps de préparation : 20 minutes
Préparation et cuisson : 50 minutes

3 plantains verts, pelés

5 ml (1 c. à thé) d'huile d'olive extravierge

2 gousses d'ail, émincées

125 ml (1/2 tasse) de coriandre fraîche, finement hachée

2 L (8 tasses) de bouillon de poulet faible en sodium

375 ml (1 1/2 tasse) d'eau

2 ml (1/2 c. à thé) de sel

Poivre frais moulu, au goût

40 ml (8 c. à thé) de parmesan râpé

8 quartiers de limette

Râper les plantains avec une râpe, en choisissant les trous les plus gros.

Chauffer l'huile à feu moyen dans une grande poêle. Ajouter l'ail et 30 ml (2 c. à soupe) de coriandre. Cuire jusqu'à ce que l'ail soit tendre, soit 1 à 2 minutes. Ajouter le bouillon et porter à ébullition. Ajouter le plantain et réduire le feu. Laisser mijoter de 25 à 30 minutes jusqu'à ce que le plantain soit tendre et que la soupe s'épaississe.

Ajouter le reste de la coriandre et assaisonner avec du sel et du poivre. Saupoudrer chaque portion de 5 ml (1 c. à thé) de parmesan et décorer d'un quartier de limette.

Valeur nutritive par portion : 121 calories, 2 g de gras (1 g sat., 1 g mono.), 6 mg de cholestérol, 23 g de glucides, 6 g de protéines, 2 g de fibres, 315 mg de sodium, 346 mg de potassium.

ROPA VIEJA

Ce ragoût a une liste d'ingrédients très simple, mais il demeure très savoureux grâce au steak de flanc qu'on y fait cuire. Cette partie est souvent considérée comme assez dure, mais dans ce plat, sa texture même est un avantage. Avec la cuisson, la viande se transformera en lanières savoureuses.

Portions : 10
Temps de préparation : 25 minutes
Préparation et cuisson : 8 heures

375 ml (1 1/2 tasse) de bouillon de poulet faible en sodium

60 ml (1/4 tasse) de vinaigre de xérès

2 pieds de céleri, tranchés finement

1 gros oignon, haché

1 poivron rouge, épépiné et coupé en morceaux

3 gousses d'ail, émincées

15 ml (1 c. à soupe) de cumin moulu

5 ml (1 c. à thé) de sel

2 ml (1/2 c. à thé) de poivre fraîchement moulu

1,35 kg (3 lb) de steak de flanc, dégraissé, chaque steak coupé en trois

125 ml (1/2 tasse) de feuilles de coriandre fraîche, hachées

125 ml (1/2 tasse) de jalapenos marinés, hachés

10 tortillas de maïs, chaudes

Mélanger le bouillon, le vinaigre, le céleri, l'oignon, le poivron, l'ail, le cumin, le sel et le poivre dans une mijoteuse de 1,5 L (6 tasses). Ajouter le boeuf en l'entourant et le recouvrant des morceaux de légumes.

Mettre le couvercle en place et cuire à feu doux pendant 8 heures ou jusqu'à ce que la viande soit tendre.

Placer la viande sur une planche à découper et laisser reposer 10 minutes. Effilocher la viande avec deux four-

chettes et la remettre ensuite dans la mijoteuse. Ajouter la coriandre. Décorer avec les jalapenos et accompagner le tout de tortillas tièdes.

Cette recette se conserve facilement 3 jours au frigo et 1 mois au congélateur.

Valeur nutritive par portion : 265 calories, 11 g de gras (4 g sat., 4 g mono.) 53 mg de cholestérol, 18 g de glucides, 24 g de protéines, 3 g de fibres, 376 mg de sodium, 474 mg de potassium.

POLENTA CATALANE

Ce plat végétarien est inspiré des saveurs classiques d'Espagne. Composé d'épinards, de haricots et de polenta, il constitue un repas complet. Faites-vous plaisir en accompagnant ce plat d'une salade verte agrémentée d'une vinaigrette à base de xérès et un verre de Côtes-du-Rhône.

Portions : 4 de 375 ml (1 1/2 tasse) chacune
Temps de préparation : 35 minutes
Préparation et cuisson : 35 minutes

20 ml (4 c. à thé) d'huile d'olive extravierge, à partager

475 g (16 oz) de polenta nature préparée, coupée en cubes de 1 cm (½ po)

1 gousse d'ail, émincée

1 petit oignon coupé en deux et émincé

1 poivron rouge, épépiné et coupé en dés

2 ml (1/2 c. à thé) de paprika, fumé si possible, et un peu plus pour la décoration

1 boîte de 425 ml (15 oz) de haricots blancs, rincés

1 L (4 tasses) de bébés épinards

180 ml (3/4 tasse) de bouillon de légumes

125 ml (1/2 tasse) de manchego ou de monterey jack râpé

10 ml (2 c. à thé) de vinaigre de xérès

Chauffer 10 ml (2 c. à thé) d'huile à feu moyen-élevé dans une poêle antiadhésive. Ajouter la polenta et cuire jusqu'à ce qu'elle commence à brunir en remuant occasionnellement, soit de 8 à 10 minutes. Réserver.

Baisser le feu à moyen, ajouter les 10 ml (2 c. à thé) d'huile restante. Ajouter l'ail et cuire environ 30 secondes. Ajouter l'oignon et le poivron et cuire en remuant de 3 à 5 minutes, selon la tendreté désirée. Saupoudrer de paprika et ajouter les haricots, les épinards et le bouillon. Cuire en remuant jusqu'à ce que les haricots soient chauds et que les

feuilles d'épinard soient tombées, soit de 2 à 3 minutes. Retirer du feu, ajouter le fromage et le vinaigre. Mettre des légumes sur la polenta et saupoudrer de paprika. Servir.

Valeur nutritive par portion : 207 calories, 8 g de gras (2 g sat., 4 g mono.) 7 mg de cholestérol, 28 g de glucides, 10 g de protéines, 5 g de fibres, 678 mg de sodium, 578 mg de potassium.

BURGER DE CRABE

Ces burgers ont un véritable goût de crabe qu'il ne faut pas masquer avec des assaisonnements trop relevés. Il vaut mieux les servir sur un pain avec une sauce tartare ou des feuilles de salade ou du chou arrosé de quelques gouttes de jus de citron. Ou encore, on peut y mettre une tranche de pêche...

Portions : 6
Temps de préparation : 20 minutes
Préparation et cuisson : 20 minutes

450 g (1 lb) de chair de crabe

1 œuf, légèrement battu

125 ml (1/2 tasse) de panure de panko

60 ml (1/4 tasse) de mayonnaise légère

30 ml (2 c. à soupe) de ciboulette hachée

15 ml (1 c. à soupe) de moutarde de Dijon

15 ml (1 c. à soupe) de jus de citron

5 ml (1 c. à thé) de graines de céleri

5 ml (1 c. à thé) de poudre d'oignon

1 ml (1/4 c. à thé) de poivre fraîchement moulu

4 gouttes de sauce piquante (ex. : tabasco)

15 ml (1 c. à soupe) d'huile d'olive extravierge

10 ml (2 c. à thé) de beurre non salé

Mélanger le crabe, l'œuf, la panure, la mayonnaise, la ciboulette, la moutarde, le jus de citron, les graines de céleri, la poudre d'oignon, le poivre et la sauce piquante dans un grand bol. Faire 6 boulettes.

Chauffer l'huile et le beurre à feu moyen dans une poêle antiadhésive, jusqu'à ce que le beurre arrête de mousser. Cuire les boulettes jusqu'à ce qu'elles prennent une belle teinte dorée, soit environ 4 minutes de chaque côté.

Valeur nutritive par portion : 163 calories, 8 g de gras (2 g sat., 3 g mono.),
86 mg de cholestérol, 6 g de glucides, 16 g de protéines, 350 mg de sodium,
310 mg de potassium.

BURGER DE SAUMON WASABI

Faites ressortir toutes les saveurs du saumon en l'apprêtant avec une touche japonaise dans laquelle on retrouve du gingembre, du sésame et du wasabi. Si vous servez ces boulettes sur du pain de blé entier, songez à utiliser de la mayonnaise faible en gras et des concombres tranchés en guise de condiments. Ou oubliez le pain et servez les boulettes en les déposant sur des feuilles de salade et en les recouvrant de carottes et de tranches de radis et de choux de Bruxelles.

Portions : 4
Temps de préparation : 30 minutes
Préparation et cuisson : 30 minutes

30 ml (2 c. à soupe) de sauce soya faible en sodium

7 ml (1 1/2 c. à thé) de poudre wasabi

2 ml (1/2 c. à thé) de miel

450 g (1 lb) de filet de saumon sans la peau

2 échalotes, finement hachées

1 œuf, légèrement battu

30 ml (2 c. à soupe) de gingembre frais, pelé et émincé

5 ml (1 c. à thé) d'huile de sésame grillé

Au fouet, mélanger la sauce soya, la poudre de wasabi et le miel dans un petit bol. Réserver.

Avec un couteau coupant, hacher le saumon en morceaux de 5 mm (1/4 po). Placer la chair dans un grand bol. Ajouter l'échalote, l'œuf, le gingembre et l'huile et mélanger. Faire 4 boulettes avec la préparation (elle sera humide et molle, mais elle tiendra bien dans la poêle quand le premier côté sera cuit).

Enduire une poêle antiadhésive d'un peu d'huile (ou d'un corps gras en vaporisateur) et chauffer à feu moyen 1 minute. Ajouter les boulettes et cuire 4 minutes. Retourner

les boulettes et cuire jusqu'à ce qu'elles soient fermes, soit environ 3 minutes. Les napper de votre sauce wasabi restante et cuire 15 secondes de plus. Servir.

Valeur nutritive par portion : 184 calories, 7 g de gras (1 g sat., 2 g mono.), 117 mg de cholestérol, 3 g de glucides, 27 g de protéines, 369 mg de sodium, 464 mg de potassium.

SOUPE DE SAUMON, FAÇON SUD-EST ASIATIQUE

Portions : 6 d'environ 500 ml
(2 tasses) chacune
Temps de préparation : 35 minutes
Préparation et cuisson : 35 minutes

60 g (2 oz) de vermicelles

30 ml (2 c. à soupe) d'huile
de canola

45 ml (3 c. à soupe) d'ail
finement tranché

1,75 L (7 tasses) de bouillon de poulet
faible en sodium

1 boîte de tomates en dés
de 425 ml (15 oz)

15 ml (1 c. à soupe) de sauce
de poisson

5 ml (1 c. à thé) de sauce chili à l'ail

10 ml (2 c. à thé) d'huile de sésame
piquante (ou au goût)

1 filet de saumon de 565 g (1 1/4 lb),
sans la peau et coupé en petits cubes

250 ml (1 tasse) de poireau
tranché finement

125 ml (1/2 tasse) de feuilles
de coriandre hachée

Des quartiers de citron, pour garnir

Placer les nouilles dans un grand bol, recouvrir d'eau chaude et laisser tremper de 20 à 25 minutes, selon la consistance voulue. Égoutter.

Dans une casserole, chauffer l'huile de canola à feu moyen. Ajouter l'ail et cuire en remuant souvent jusqu'à l'obtention d'une belle couleur dorée (environ 3 minutes). Retirer et placer sur un papier essuie-tout. (Si l'huile est trop chaude, l'ail risque de brûler. Il vaut mieux faire un test avec une lamelle d'ail avant.)

Pour empêcher les éclaboussures, verser délicatement le bouillon dans la casserole et porter à ébullition. Ajouter les tomates et leur jus, la sauce de poisson, la sauce chili et l'huile de sésame piquante. Ajouter le saumon, baisser à feu doux et laisser mijoter jusqu'à ce que le poisson soit cuit, soit environ 2 minutes. Ajouter les nouilles et le poireau et laisser mijoter encore 1 minute.

Garnir de coriandre hachée et d'ail croustillant. Servir avec des quartiers de citron.

Valeur nutritive par portion: 302 calories, 14 g de gras (2 g sat., 6 g mono.), 66 mg de cholestérol, 15 g de glucides, 28 g de protéines, 654 mg de sodium, 599 mg de potassium.

Cuisine vivante

Voici maintenant le type de recettes auxquelles je voue toute ma confiance. Comme vous remarquerez, toutes ces préparations sont savoureuses, santé et extrêmement nutritives ! Ces recettes, que j'endosse entièrement, s'adressent à ceux et celles qui veulent vraiment essayer la cuisine vivante et qui, radicalement ou parce qu'ils ont déjà effectué des modifications substantielles dans leur alimentation, sont prêts à se plier aux douces exigences de cette vision culinaire.

Non seulement vous permettront-elles de manger à satiété, mais en plus, elles favorisent une saine digestion et une ingestion de tous les éléments dont nous avons absolument besoin pour nous maintenir en santé.

Rappelez-vous aussi qu'il est agréable de partager un bon repas en bonne compagnie. Et le fait d'avoir à sa disposition des aliments sains et frais permet de faire des plats savoureux à la présentation attrayante qui peuvent même séduire les plus petits quand il s'en trouve dans votre entourage.

Bon appétit!

SALADE DE CHOU SAVOUREUSE

Portions : 2 à 3

1 gros chou frisé, la tige enlevée et coupé en morceaux *

1 gros avocat, pelé, dénoyauté et haché

1 tomate moyenne, hachée

1 concombre, coupé en dés

1 orange ou un poivron jaune, épépiné et haché

1 ou 2 gousses d'ail pressées

37 ml (2 1/2 c. à soupe) de jus de citron frais

3 dattes, dénoyautées et hachées

2 ml (1/2 c. à thé) de sel d'Himalaya

1 pincée de poivre noir

1 pincée de noix de muscade râpée

30 ml (2 c. à soupe) de canneberges séchées ou de raisins secs

30 ml (2 c. à soupe) de graines de chanvre

Placer le chou dans un bol et ajouter les autres ingrédients à l'exception des graines de chanvre. Avec les mains, remuer et presser tous les ingrédients (oui, oui, avec les mains! Écraser allègrement les avocats, la tomate, le concombre et mélanger avec le jus de citron, le chou, le sel, le poivre et la noix de muscade.) Décorer de graines de chanvre et servir.

*Quand vous utilisez du chou frisé, assurez-vous de bien le nettoyer.

Valeur nutritive par portion : 282 calories, 13 g de gras (2 g sat., 7 g mono.), 0 mg de cholestérol, 41 g de glucides, 8 g de protéines, 15 g de fibres, 365 mg de sodium, 1230 mg de potassium.

Recette de Suzanne Kristen of KristensRaw.com

SOUPE TORTILLA ARRIBA

Donne 1 L (4 tasses)

250 ml (1 tasse) d'eau

1 poivron jaune, haché (environ 375 ml ou 1 1/2 tasse)

1 courgette jaune, émincée (environ 500 ml ou 2 tasses)

250 ml (1 tasse) de courge musquée, pelée, épépinée et hachée

1 datte, dénoyautée

1 gousse d'ail

1 oignon vert (la partie pâle seulement)

30 ml (2 c. à soupe) de jus de citron frais

12 ml (2 1/2 c. à thé) d'assaisonnement mexicain

4 ml (3/4 c. à thé) de cumin

2 ml (1/2 c. à thé) de sel d'Himalaya ou au goût

1 ml (1/4 c. à thé) de poivre de Cayenne

125 ml (1/2 tasse) d'huile d'olive

Passer tous les ingrédients (sauf l'huile d'olive) au robot culinaire jusqu'à l'obtention d'une texture lisse (cela peut prendre une minute, à cause de la courge musquée). Alors que le robot est toujours en marche, ajouter l'huile d'olive.

Valeur nutritive par portion : 147 calories, 14 g de gras (2 g sat., 10 g mono.), 0 mg de cholestérol, 6 g de glucides, 1 g de protéines, 1 g de fibres, 122 mg de sodium, 246 mg de potassium.

Recette de Suzanne Kristen of KristensRaw.com

SOUPE DE CHOU-FLEUR CRÉMEUSE

Donne environ 750 ml (3 tasses)

250 ml (1 tasse) d'eau

500 ml (2 tasses) de chou-fleur, haché

160 ml (2/3 tasse) de pignons de pin, trempés une heure, égouttés et rincés

10 ml (2 c. à thé) de poudre d'oignon

45 ml (3 c. à soupe) de jus de citron frais

5 ml (1 c. à thé) de nectar d'agave cru

1 pincée de poivre blanc

Passer tous les ingrédients au robot culinaire jusqu'à l'obtention d'une consistance lisse.

Valeur nutritive par portion de 125 ml (½ tasse) : 114 calories, 10 g de gras (1 g sat., 3 g mono.), 0 mg de cholestérol, 6 g de glucides, 3 g de protéines, 1 g de fibres, 12 mg de sodium, 211 mg de potassium.

Recette de Suzanne Kristen of KristensRaw.com

SOUPE ÉNERGÉTIQUE LUNE BLEUE

Donne environ 625 ml (2 1/2 tasses)

250 ml (1 tasse) de lait de coco thaï

1 banane, pelée et hachée

250 ml (1 tasse) de bleuets

5 ml (1 c. à thé) de jus de citron frais

1 pincée de sel d'Himalaya

Passer rapidement tous les ingrédients au robot culinaire.

Valeur nutritive par portion de 125 ml (½ tasse) : 127 calories, 10 g de gras
(9 g sat., 0 g mono.), 0 mg de cholestérol, 11 g de glucides, 1 g de protéines,
2 g de fibres, 37 mg de sodium, 208 mg de potassium.

Recette de Suzanne Kristen of KristensRaw.com

«RIZ» RELEVÉ

Portions: 4

LE «RIZ»

1 courge musquée, pelée, épépinée et hachée
(environ 750 ml ou 3 tasses)

250 ml (1 tasse) de carottes hachées

2 oignons verts, finement hachés

60 ml (1/4 tasse) de canneberges séchées

LA GARNITURE

30 ml (2 c. à soupe) de jus de citron frais

30 ml (2 c. à soupe) d'huile d'olive extravierge
ou d'huile de chanvre

15 ml (1 c. à soupe) de graines de cumin

2 gousses d'ail, pressées

10 ml (2 c. à thé) de gingembre frais, pelé et râpé

10 ml (2 c. à thé) de nectar d'agave cru

5 ml (1 c. à thé) chacun de coriandre, cumin et sel d'Himalaya

4 ml (3/4 c. à thé) de curcuma

1 ml (1/4 c. à thé) de poivre de Cayenne

Au robot culinaire, hacher la courge et les carottes jusqu'à l'obtention d'une consistance ressemblant au riz. Placer le mélange dans un grand bol et ajouter les oignons verts et les raisins. Mélanger les ingrédients de la garniture et verser sur le «riz».

Valeur nutritive par portion : 174 calories, 8 g de gras (1 g sat., 5 g mono.), 0 mg de cholestérol, 28 g de glucides, 2 g de protéines, 4 g de fibres, 615 mg de sodium, 627 mg de potassium.

Recettes de Suzanne Kristen of KristensRaw.com

BROCOLI DU DRAGON VOLANT

Portions: 3 à 4

1 tête de brocoli de taille moyenne dont on détache les fleurs

80 ml (1/3 tasse) d'huile d'olive extravierge ou d'huile de chanvre

30 ml (2 c. à soupe) de nectar d'agave cru

1 à 2 gousses d'ail, pressées

2 ml (1/2 c. à thé) de sel d'Himalaya

30 à 45 ml (2 à 3 c. à soupe) de raisins secs

60 ml (1/4 tasse) d'olives Kalamata, hachées

Au robot culinaire, réduire en purée le brocoli, l'huile, l'ail et le sel. Ajouter de l'huile ou de l'eau au besoin pour obtenir une purée. Ajouter ensuite les raisins et décorer d'olives avant de servir.

Valeur nutritive par portion : 267 calories, 19 g de gras (3 g sat., 14 g mono.), 0 mg de cholestérol, 23 g de glucides, 5 g de protéines, 4 g de fibres, 358 mg de sodium, 522 mg de potassium.

PAIN MOUTARDE-SARRIETTE

Portions : environ 36 tranches

Nécessite 3 plaques de cuisson

1,6 kg (3 1/2 lb) d'oignons, pelés et hachés

3 tomates moyennes, hachées

250 ml (1 tasse) de farine de lin

125 ml (1/2 tasse) de graines de citrouille moulues

125 ml (1/2 tasse) de graines de tournesol moulues

80 ml (1/3 tasse) de levure alimentaire

60 ml (1/4 tasse) de moutarde jaune

125 ml (1/2 tasse) de nectar d'agave cru

125 ml (1/2 tasse) de tamari, sans blé

Au robot culinaire, réduire les oignons et les tomates en petits morceaux. Placer le tout dans un bol et ajouter la farine de lin, les graines de citrouille et les graines de tournesol moulues.

Ajouter les ingrédients restants et mélanger le tout à la main. Prendre 500 ou 750 ml (2 ou 3 tasses) de la pâte et l'étendre sur les plaques de cuisson recouvertes de papier ciré. Placer au four pendant 1 heure à 60 °C (140 °F) puis baisser le feu à 40 °C (105 °F) et continuer à cuire la pâte pendant 6 à 8 heures. Retourner le pain, enlever les feuilles de papier ciré et laisser cuire encore 6 à 10 heures, jusqu'à ce qu'il atteigne le dessèchement voulu. Couper et servir.

Valeur nutritive par portion d'une tranche : 76 calories, 3 g de gras (0 g sat., 1 g mono.), 0 mg de cholestérol, 11 g de glucides, 3 g de protéines, 2 g de fibres, 256 mg de sodium, 164 mg de potassium.

PÂTÉ DE CIVE (CIBOULETTE) ET DE NOIX DE PÉCAN

Donne 500 ml (2 tasses)

500 ml (2 tasses) de pacanes

250 ml (1 tasse) d'épinards

30 ml (2 c. à soupe) de cive (ciboulette) hachée

15 ml (1 c. à soupe) de tamari, sans blé

2 gousses d'ail, pressées

30 ml (2 c. à soupe) de jus de citron frais

7 ml (1 1/2 c. à thé) de marjolaine séchée

0,5 ml (1/8 c. à thé) de poivre noir

Hacher grossièrement les pacanes avec un robot culinaire. Ajouter les autres ingrédients et mélanger pour lier le tout.

La préparation se déguste nature, sur une feuille de laitue romaine ou dans un poivron de couleur.

Valeur nutritive par portion de 30 ml (2 c. à soupe): 88 calories, 9 g de gras (1 g sat., 5 g mono.), 0 mg de cholestérol, 2 g de glucides, 1 g de protéines, 1 g de fibres, 64 mg de sodium, 70 mg de potassium.

Recette de Suzanne Kristen of KristensRaw.com

SALADE DE CHOU PIQUE-NIQUE

Portions: 4

LA SALADE

½ chou rouge, râpé

3 carottes, râpées

1 concombre, pelé, coupé en dés

1 tomate moyenne, coupée en dés

3 oignons verts, hachés finement

125 ml (1/2 tasse) de raisins secs

8 dattes, dénoyautées et hachées

15 ml (1 c. à soupe) d'ail pressé

2,5 ml (1/2 c. à thé) de sel d'Himalaya

LA VINAIGRETTE

80 ml (1/3 tasse) d'huile d'olive extravierge ou d'huile de chanvre

125 ml (1/2 tasse) de noix de cajou, trempées 1 heure, égouttées et rincées

80 ml (1/3 tasse) d'eau, si nécessaire au mélange

15 ml (1 c. à soupe) de vinaigre de cidre de pommes

22 ml (1 1/2 c. à soupe) de nectar d'agave cru

1 ml (1/4 c. à thé) de cumin

1 ml (1/4 c. à thé) de sel d'Himalaya

1 pincée de poivre de Cayenne

Combiner les ingrédients dans un bol et mélanger. Pour la vinaigrette, placer tous les ingrédients dans un robot culinaire jusqu'à l'obtention d'une consistance crémeuse. Verser sur la salade et servir.

Valeur nutritive par portion: 445 calories, 27 g de gras (4 g sat., 18 g mono.), 0 mg de cholestérol, 53 g de glucides, 6 g de protéines, 7 g de fibres, 477 mg de sodium, 900 mg de potassium.

Recette de Suzanne Kristen of KristensRaw.com

SALADE DE JICAMA ET PAMPLEMOUSSE À LA CRÈME D'AVOCAT

Portions: 4

LA BASE DE LA SALADE

30 ml (2 c. à soupe) de nectar d'agave cru

30 ml (2 c. à soupe) de jus de limette frais (ou de jus de citron)

1 petit jicama* (pois-patate) pelé et coupé en juliennes

1 pamplemousse rouge ou rose (ou 1 1/2 orange), pelé, le blanc enlevé, coupé en quartiers

125 ml (1/2 tasses) de céleri, haché

Fouetter ensemble le nectar d'agave et le jus de limette et réserver. Placer les ingrédients restants dans un bol. Ajouter la préparation à base de nectar d'agave et mélanger. Placer la salade dans des assiettes et conserver toute la préparation à base de nectar d'agave, c'est-à-dire le jus qui demeure au fond du bol.

LA CRÈME D'AVOCAT

Le reste de la préparation à base de nectar d'agave

1 avocat, pelé et dénoyauté

30 ml (2 c. à soupe) d'huile de lin

15 ml (1 c. à soupe) d'eau (ou plus)

60 ml (1/4 tasse) de jus de limette frais

1 ml (1/4 c. à thé) de sel d'Himalaya, ou au goût

1 pincée de poivre noir, ou au goût

Mélanger tous les ingrédients jusqu'à l'obtention d'une consistance lisse. Verser sur la salade et servir.

Le jicama est un tubercule qui ressemble à un navet.

Valeur nutritive par portion : 494 calories, 29 g de gras (4 g sat., 13 g mono.), 0 mg de cholestérol, 62 g de glucides, 5 g de protéines, 19 g de fibres, 329 mg de sodium, 1256 mg de potassium.

Recette de Suzanne Kristen of KristensRaw.com

TANGO DE LÉGUMES RELEVÉS

Portions: 2 à 3

LA SALADE

2 grosses carottes, hachées

1 gros poivron jaune, épépiné et haché

1 gros poivron rouge, épépiné et haché

LA VINAIGRETTE

80 ml (1/3 tasse) d'huile d'olive ou d'huile de chanvre

22 ml (1 1/2 c. à soupe) de moutarde jaune

2 piments serrano, épépinés et hachés

10 ml (2 c. à thé) de nectar d'agave cru

60 ml (1/4 tasse) de jus de citron frais

1 ml (1/4 c. à thé) de poivre de Cayenne

5 ml (1 c. à thé) de zeste de citron frais

2 ml (1/2 c. à thé) de graines de cumin

2 ml (1/2 c. à thé) de graines de céleri

2 ml (1/2 c. à thé) de sel d'Himalaya

1 ml (1/4 c. à thé) de poivre noir

Dans un bol, combiner tous les ingrédients et remuer. Verser sur la salade, brasser et servir.

Valeur nutritive par portion : 293 calories, 25 g de gras (5 g sat., 18 g mono.), 0 mg de cholestérol, 19 g de glucides, 2 g de protéines, 3 g de fibres, 431 mg de sodium, 481 mg de potassium.

Recette de Suzanne Kristen of KristensRaw.com

VINAIGRETTE À LA MANGUE ENDIABLÉE ET CAROTTES COSMIQUES

Portions : 2 à 3

LA VINAIGRETTE

60 ml (1/4 tasse) d'eau

30 ml (2 c. à soupe) d'huile d'olive extravierge

30 ml (2 c. à soupe) d'huile de coco

15 ml (1 c. à soupe) de jus de citron frais

15 ml (1 c. à soupe) de vin blanc bio

1 mangue, pelée, dénoyautée et hachée

2 dattes, dénoyautées

5 ml (1 c. à thé) de poudre d'ail

1 ml (1/4 c. à thé) de sel d'Himalaya

0,5 ml (1/8 c. à thé) de poivre de Cayenne

LA SALADE

4 à 6 carottes, tranchées à la mandoline

Garniture : 4 à 6 feuilles de basilic frais, hachées

Mélanger au robot culinaire tous les ingrédients jusqu'à l'obtention d'une préparation crémeuse.

Placer les carottes dans des assiettes individuelles et les couvrir de la vinaigrette. Décorer de basilic frais. Conserver le reste de la vinaigrette au réfrigérateur.

Valeur nutritive par portion : 259 calories, 18 g de gras (9 g sat., 7 g mono.), 0 mg de cholestérol, 24 g de glucides, 1 g de protéines, 4 g de fibres, 214 mg de sodium, 425 mg de potassium.

Recette de Suzanne Kristen of KristensRaw.com

BURGER VÉGÉ SANTÉ

Portions : 6 à 8

125 ml (1/2 tasse) de pacanes ou de noix

60 ml (1/4 tasse) de graines de tournesol

60 ml (1/4 tasse) de graines de chanvre

125 ml (1/2 tasse) de farine de chia ou de lin

80 ml (1/3 tasse) de tomates séchées, trempées dans l'eau 1 heure, égouttées et tranchées

15 ml (1 c. à soupe) de gingembre pelé et émincé

2 gousses d'ail pressées

5 ml (1 c. à thé) de sel d'Himalaya

2 à 3 carottes, émincées

1 pied de céleri, émincé

125 ml (1/2 tasse) de poivron rouge ou jaune épépiné et émincé

125 ml (1/2 tasse) de courgette émincée

¼ d'oignon rouge ou jaune, émincé

15 ml (1 c. à soupe) de jus de citron ou de limette frais

15 ml (1 c. à soupe) d'eau

125 ml (1/2 tasse) de dattes, dénoyautées et coupées

Au robot culinaire, hacher finement les noix et les graines de tournesol. Ajouter le chanvre et hacher finement. Transvider le mélange dans un bol, ajouter le chia (ou le lin) et mélanger. Réserver.

Dans le robot, placer les tomates séchées, le gingembre, l'ail et le sel ainsi que les carottes, le céleri, les poivrons, la courgette, l'oignon, le jus de citron et l'eau. Activer le robot (éviter de réduire le mélange en bouillie). Mélanger cette préparation à celle contenant le chia et les noix et ajouter les dattes.

Prendre le tiers ou la moitié de la préparation et la remettre dans le robot. Actionner à quelques reprises pour

obtenir un mélange uniforme. Répéter l'opération afin d'utiliser toute la préparation. Faire des boulettes et les déposer sur une feuille de laitue (en remplacement du pain).

Pour un plat plus sophistiqué, utiliser deux tranches minces de pain bio (voir la recette de Pain moutarde-sarriette).

Valeur nutritive par portion: 174 calories, 11 g de gras (1 g sat., 4 g mono.), 0 mg de cholestérol, 17 g de glucides, 5 g de protéines, 6 g de fibres, 391 mg de sodium, 500 mg de potassium.

Recette de Suzanne Kristen of KristensRaw.com

BURRITO FAÇON SUDISTE

Donne 625 ml (2 ½ tasses)

180 ml (3/4 tasse) de graines de tournesol

180 ml (3/4 tasse) de graines de citrouille,
trempées dans l'eau 6 heures, égouttées et rincées

1 ml (1/4 c. à thé) de sel d'Himalaya ou au goût

1 pincée de poivre noir

180 ml (3/4 tasse) de tomates séchées, trempées dans l'eau 1 heure avec
juste suffisamment d'eau pour les couvrir (conserver l'eau de trempage)

2 gousses d'ail pressées

15 ml (1 c. à soupe) de jus de limette frais

7 ml (1 1/2 c. à thé) de poudre chili

5 ml (1 c. à thé) de cumin

5 ml (1 c. à thé) de miso foncé

5 ml (1 c. à thé) de poudre d'oignon

60 ml (1/4 tasse) de coriandre hachée

Eau, si nécessaire (voir les instructions)

Au robot culinaire, réduire en poudre les graines de tournesol. Ajouter les graines de citrouille, le sel, le poivre, les tomates séchées, l'eau de trempage, l'ail, le jus de limette, la poudre chili, le cumin, le miso foncé, la poudre d'oignon et activer le robot pour transformer le tout en pâte (ajouter de l'eau si nécessaire). Ajouter la coriandre et mélanger brièvement. Servir sur une feuille de romaine en guise de coque à burritos. Décorer de tomates en dés et de sauce à nachos au fromage (voir la recette ci-contre).

Valeur nutritive par portion de 125 ml (½ tasse) : 261 calories, 21 g de gras
(3 g sat., 7 g mono.), 0 mg de cholestérol, 13 g de glucides, 12 g de protéines,
4 g de fibres, 310 mg de sodium, 601 mg de potassium.

Recette de Suzanne Kristen of KristensRaw.com

SAUCE À NACHOS AU FROMAGE

125 ml (1/2 tasse) de graines de chanvre
(ou de pignons trempés et égouttés)

60 ml (1/4 tasse) d'eau (ou plus, si nécessaire)

1/2 poivron rouge, épépiné et haché

1 petite carotte, émincée

1 gousse d'ail

15 ml (1 c. à soupe) de levure

15 ml (1 c. à soupe) de jus de limette ou de citron frais

2 ml (1/2 c. à thé) de sel d'Himalaya (ou au goût)

0,5 à 1 ml (1/8 à 1/4 c. à thé) de poivre de Cayenne

5 ml (1 c. à thé) d'assaisonnement mexicain

Placer tous les ingrédients dans un robot culinaire et mélanger jusqu'à l'obtention d'une préparation crémeuse.

Valeur nutritive par portion: 110 calories, 9 g de gras (1 g sat., 3 g mono.),
0 mg de cholestérol, 5 g de glucides, 3 g de protéines, 2 g de fibres, 195 mg
de sodium, 173 mg de potassium.

Recette de Suzanne Kristen of KristensRaw.com

RAVIOLIS FROMAGÉS

Portions : 4 (6 raviolis par personne)

NOUILLES

1 à 2 gros panais, pied de céleri, des raves, des betteraves (dorées ou rouges) ou du jicama coupés en fines rondelles avec une mandoline

125 ml (1/2 tasse) d'huile d'olive extravierge (ou plus)

7 ml (1 1/2 c. à thé) de sel d'Himalaya (ou plus)

30 ml (2 c. à soupe) de jus de citron frais (ou plus)

Placer les rondelles (ou les carrés) de légumes dans un plat de cuisson peu profond avec l'huile d'olive, le sel et le jus de citron et laisser mariner de 15 à 20 minutes. Par la suite, si désiré, rincer afin d'enlever le sel et l'huile.

Si vous vous servez d'une tranche de légumes par ravioli, vous aurez besoin de 24 tranches puisque vous les replierez en deux pour former des demi-lunes ou des triangles. Vous aurez besoin de 48 tranches de légumes si vous faites des raviolis complets en utilisant une tranche pour le dessous et une tranche pour le dessus.

LA GARNITURE FROMAGÉE

250 ml (1 tasse) de pignons,
trempés dans l'eau 1 heure, égouttés et rincés

30 à 60 ml (2 à 4 c. à soupe) d'eau, ou plus si nécessaire

30 ml (2 c. à soupe) de jus de citron frais

7 ml (1 1/2 c. à thé) de tamari, sans blé

1 grosse gousse d'ail

10 ml (2 c. à thé) de levure

5 ml (1 c. à thé) de thym séché ou de romarin

Mélanger tous les ingrédients en ajoutant de l'eau si nécessaire pour aider le « fromage » à prendre forme. La garniture doit demeurer épaisse.

LES RAVIOLIS

Prendre une tranche de légumes à la fois et garnir de 5 ml (1 c. à thé) de la garniture fromagère. Replier la tranche sur elle-même pour en faire des demi-lunes ou laisser la tranche à plat et recouvrir la garniture d'une autre tranche de légume. La garniture restante se conservera 5 jours au réfrigérateur.

Valeur nutritive par portion : 326 calories, 30 g de gras (3 g sat., 11 g mono.), 0 mg de cholestérol, 13 g de glucides, 6 g de protéines, 4 g de fibres, 355 mg de sodium, 375 mg de potassium.

Recette de Suzanne Kristen of KristensRaw.com

QUICHE GASTRONOMIQUE À L'ITALIENNE

Donne 8 tartelettes

LA PÂTE

125 ml (1/2 tasse) de farine de chia
(environ 80 ml (1/3 tasse) de graines de chia moulues)

125 ml (1/2 tasse) de farine de lin
(environ 80 ml (1/3 tasse) de graines de lin moulues)

500 ml (2 tasses) de courgettes pelées et émincées

125 ml (1/2 tasse) d'huile d'olive extravierge

2,5 ml (1/2 c. à thé) de sel d'Himalaya

Le zeste d'un citron

0,5 ml (1/8 c. à thé) de poivre de Cayenne

250 ml (1 tasse) de noix,
trempées dans l'eau 6 heures, égouttées et rincées

LA GARNITURE

250 ml (1 tasse) d'eau

250 ml (1 tasse) de poivron rouge émincé

250 ml (1 tasse) de courgettes pelées et émincées

2 grosses gousses d'ail

30 ml (2 c. à soupe) de miso

30 ml (2 c. à soupe) de tamari, sans blé

15 ml (1 c. à soupe) de levure

45 ml (3 c. à soupe) de jus de citron

1 ml (1/4 c. à thé) de curcuma

15 ml (1 c. à soupe) de poudre d'oignon

250 ml (1 tasse) de noix de cajou

250 ml (1 tasse) de basilic

10 olives Kalamata hachées

125 ml (1/2 tasse) de tomates séchées,
trempées dans l'eau 1 heure, égouttées

30 ml (2 c. à soupe) de poudre de psyllium

PRÉPARATION DES TARTELETTES

Mélanger au robot culinaire les courgettes, l'huile d'olive, le sel, le zeste de citron et le poivre de Cayenne jusqu'à l'obtention d'une texture lisse. Ajouter les noix trempées et poursuivre jusqu'à l'obtention d'une préparation crémeuse.

Ajouter les farines de chia et de lin et mélanger. Sur deux plaques de cuisson recouvertes de papier ciré, placer de la pâte en quatre portions et les aplatir à l'aide d'une spatule. Recourber les bords pour leur donner une forme de tartelette. Cuire à 60 °C (135 °F) pendant 45 minutes. Après cette période, si désiré, faire des cannelures sur le haut des côtés à l'aide des doigts.

Remettre les tartelettes à cuire à 40 °C (105 °F) pendant 4 à 6 heures. Après cette période, à l'aide d'une spatule, retirer les croûtes du papier ciré et les placer directement sur une grille de cuisson et cuire encore 6 à 8 heures ou jusqu'à ce qu'elles soient complètement sèches.

Ces tartelettes se conservent bien au congélateur, de sorte qu'on peut en préparer à l'avance. Pour les congeler, il suffit d'utiliser des sacs de congélation dont on n'enlève pas tout l'air afin de ne pas les briser.

PRÉPARATION DE LA GARNITURE

Mélanger l'eau, le poivron rouge, les courgettes, l'ail, le miso, le tamari, la levure, le jus de citron, le curcuma et la poudre d'oignon jusqu'à l'obtention d'une préparation onctueuse. Ajouter les noix de cajou et mélanger de nouveau jusqu'à l'obtention d'une préparation lisse. Ajouter le basilic, les olives, les tomates séchées et mélanger. Ajouter la poudre de psyllium et mélanger de nouveau rapidement.

Remplir les croûtes de tartelettes avec la préparation et servir immédiatement ou réchauffer environ 1 heure à 50 °C (125 °F) pour les servir tièdes. La préparation se conserve bien au réfrigérateur pendant 4 jours. Elle se congèle aussi très bien, de sorte qu'il est possible de préparer le tout à l'avance.

Valeur nutritive par portion: 420 calories, 35 g de gras (6 g sat., 20 g mono.), 0 mg de cholestérol, 23 g de glucides, 10 g de protéines, 6 g de fibres, 671 mg de sodium, 618 mg de potassium.

Recette de Suzanne Kristen of KristensRaw.com

PASTA DE COURGETTES AVEC SAUCE SANS VODKA

Portions : 4

LA SAUCE

4 tomates moyennes, coupées en deux (dont 3 épépinées)

180 ml (3/4 tasse) de tomates séchées,
trempées dans l'eau 1 heure, égouttées et hachées

125 ml (1/2 tasse) de tahini (pâte de sésame)

80 ml (1/3 tasse) d'oignon rouge ou jaune haché

45 ml (3 c. à soupe) de basilic frais haché
ou 15 ml (1 c. à soupe) de basilic séché

30 ml (2 c. à soupe) de jus de limette frais

15 ml (1 c. à soupe) de tamari, sans blé

15 ml (1 c. à soupe) de vinaigre de cidre

1 gousse d'ail

5 olives Kalamata, dénoyautées et tranchées (facultatif)

5 ml (1 c. à thé) d'origan séché

2 ml (1/2 c. à thé) de poivre de Cayenne ou au goût

Poivre noir, au goût

1 pincée de sel d'Himalaya ou au goût

LES PÂTES

5 ou 6 courgettes transformées en capellinis, en vermicelles
ou en fettucinis à l'aide d'un économe

Passer rapidement tous les ingrédients de la sauce au robot culinaire pour en faire de bons morceaux. Servir sur les pâtes ou sur un mélange de légumes de votre choix.

Valeur nutritive par portion : 293 calories, 19 g de gras (3 g sat., 7 g mono.), 0 mg de cholestérol, 27 g de glucides, 12 g de protéines, 9 g de fibres, 592 mg de sodium, 1451 mg de potassium.

Recette de Suzanne Kristen of KristensRaw.com

LASAGNE À L'ITALIENNE

Recette de Suzanne Kristen of KristensRaw.com

Pour un plat de cuisson de 18 x 18 cm (7 x 7 po)

LES NOUILLES

2 à 3 courgettes en tranches très minces (2 mm ou 1/16 po)

Étaler les rondelles de courgettes sur une grille à déshydrater
et placer au four à 40 °C (105 °F) pendant 45 minutes.

LA MARINARA

7 à 8 tomates, épépinées et coupées en quartiers (environ 1,75 L ou 7 tasses)

180 ml (3/4 tasse) de poudre de tomates séchées*

80 ml (1/3 tasse) d'oignon jaune ou rouge haché

2 gousses d'ail pressées

15 ml (1 c. à soupe) d'assaisonnement à l'italienne

5 olives Kalamata, dénoyautées et tranchées

15 ml (1 c. à soupe) de vinaigre de cidre ou du jus de citron frais

15 ml (1 c. à soupe) de tamari, sans blé

60 ml (1/4 tasse) de basilic frais haché

30 ml (2 c. à soupe) d'origan frais haché
ou 10 ml (2 c. à thé) d'origan séché

Au robot culinaire, réduire les tomates en gros morceaux. Ajouter la poudre de tomates séchées, l'oignon, l'ail, l'assaisonnement à l'italienne, les olives, le vinaigre de cidre et le tamari et actionner le robot pour lier le tout. Ajouter le basilic et l'origan et mélanger. Placer la marinara dans une passoire pour éliminer le surplus d'eau. Pendant ce temps, préparer le reste de la lasagne. La marinara ne doit pas être trop humide pour que la lasagne se tienne.

* Pour faire de la poudre de tomates séchées, il faut les moudre au moulin. Rangez le tout dans un pot Mason. Il est toujours bon d'en avoir à portée de la main puisque cette poudre constitue un ingrédient intéressant dans toutes les vinaigrettes, sauces ou soupes. 250 ml (1 tasse) de tomates séchées donne environ 160 à 180 ml (2/3 à 3/4 tasse) de poudre.

LES CHAMPIGNONS (SI DÉSIRÉ)
20 champignons tranchés

7 ml (1 1/2 c. à thé) de tamari, sans blé

30 ml (2 c. à soupe) d'huile de chanvre ou d'huile d'olive extravierge

5 ml (1 c. à thé) de jus de citron

1 pincée de poivre noir

Faire sauter les champignons avec le tamari, l'huile, le jus de citron et le poivre. Laisser reposer 10 minutes. Égoutter et presser doucement les champignons pour enlever l'excédent de liquide.

LE FROMAGE RICOTTA

500 ml (2 tasses) de noix d'Amazonie (aussi appelées noix du Brésil)

1 gousse d'ail ou au goût

12 ml (2 1/2 c. à thé) de levure

10 ml (2 c. à thé) de tamari, sans blé

1 pincée de muscade

1 pincée de poivre noir

Placer tous les ingrédients dans un robot culinaire et mélanger jusqu'à l'obtention d'une purée épaisse (ajouter un peu d'eau si nécessaire).

LES ÉPINARDS

1 botte d'épinards

5 ml (1 c. à thé) de basilic séché

Hacher rapidement les épinards et le basilic au robot et réserver.

Au fond d'un plat de cuisson 18 x 18 cm (7 x 7 po), étendre en une mince couche une partie de la marinara. Placer une rangée de tranches de courgettes dessus côte à côte, sans qu'elles ne se chevauchent. Étendre une autre couche de marinara sur les courgettes. Déposer ensuite une rangée de champignons et presser légèrement à l'aide d'une spatule. Placer une couche de fromage puis une couche d'épinards. Poursuivre ainsi en alternant régulièrement les courgettes, la marinara, les champignons, le fromage et les épinards. Presser légèrement à chaque étape.

Répéter jusqu'à ce que le plat de cuisson soit rempli. Servir immédiatement à la température de la pièce ou réchauffer légèrement au four à 60 °C (135 °F) pendant 1 à 2 heures. La lasagne se conservera au réfrigérateur trois jours.

Valeur nutritive par portion : 321 calories, 27 g de gras (6 g sat., 11 g mono.), 0 mg de cholestérol, 18 g de glucides, 10 g de protéines, 7 g de fibres, 444 mg de sodium, 1052 mg de potassium.

PIZZA D'AMALFI

Recette de Suzanne Kristen of KristensRaw.com

Portions : 2

LES 2 PÂTES À PIZZA

250 ml (1 tasse) de graines de tournesol moulues

7 ml (1/2 c. à soupe) de farine de lin

1 pied de céleri

45 à 60 ml (3 à 4 c. à soupe) d'eau

7 ml (1 1/2 c. à thé) d'huile d'olive extravierge

2 ml (1/2 c. à thé) de zeste de citron frais

1 pincée de cannelle

1 pincée de sel d'Himalaya

Dans un bol, mélanger les graines de tournesol et la farine de lin et réserver. Mélanger le céleri, l'eau, l'huile, le zeste de citron, la cannelle et le sel au mélangeur. Placer ensuite la préparation dans le plat contenant les graines de tournesol et la farine de lin et mélanger avec les mains.

Sur une plaque de cuisson recouverte d'un papier ciré, étendre la préparation pour en faire une pâte de 5 mm (1/4 po). Cuire à 60 °C (140 °F) pendant 1 heure puis baisser la température à 40 °C (105 °F) et cuire 5 à 8 heures, jusqu'à ce que la pâte soit sèche.

LA GARNITURE DE CHAMPIGNONS
4 champignons, nettoyés et tranchés (facultatif)

LE FROMAGE

80 ml (1/3 tasse) de pignons,
trempés dans l'eau 1 heure, égouttés et rincés

30 ml (2 c. à soupe) d'eau, ou plus si nécessaire

15 ml (1 c. à soupe) de jus de citron frais

5 ml (1 c. à thé) de tamari, sans blé

1 gousse d'ail ou au goût

5 ml (1 c. à thé) de levure

Mélanger tous les ingrédients en ajoutant un peu d'eau si nécessaire jusqu'à la formation du fromage.

LA SAUCE

3 tomates moyennes coupées en quartiers (dont 2 épépinées)

125 ml (½ tasse) de tomates séchées, trempées 10 minutes dans l'eau, égouttées et hachées

30 ml (2 c. à soupe) d'oignon rouge ou jaune haché

30 ml (2 c. à soupe) de basilic frais

10 ml (2 c. à thé) de vinaigre de cidre

5 ml (1 c. à thé) de tamari, sans blé

10 ml (2 c. à thé) d'huile d'olive extravierge

10 ml (2 c. à thé) d'origan frais, haché ou 5 ml (1 c. à thé) d'origan séché

1 petite gousse d'ail

5 ml (1 c. à thé) d'assaisonnement à l'italienne

3 olives Kalamata, dénoyautées et hachées

Mélanger tous les ingrédients au robot culinaire.

Placer le fromage sur chacune des pâtes. Couvrir avec la marinara et placer les champignons par-dessus. Servir immédiatement.

Valeur nutritive par portion d'une demi-pizza : 388 calories, 30 g de gras (3 g sat., 12 g mono.), 0 mg de cholestérol, 23 g de glucides, 13 g de protéines, 8 g de fibres, 459 mg de sodium, 1115 mg de potassium.

VINAIGRETTE TAHINI-CAYENNE

Donne 250 ml (1 tasse)

125 ml (1/2 tasse) de tahini (pâte de sésame)

60 à 125 ml (1/4 à 1/2 tasse) d'eau ou d'huile d'olive extravierge*

45 ml (3 c. à soupe) d'un mélange de jus de citron et limette

1 ml (1/4 c. à thé) de poivre de Cayenne

1 ml (1/4 c. à thé) de sel d'Himalaya

Mélanger tous les ingrédients ensemble jusqu'à l'obtention d'une consistance lisse. Ajouter de l'eau si nécessaire (*ou utiliser un mélange d'eau et d'huile pour une consistance plus crémeuse).

Valeur nutritive par portion de 15 ml (1 c. à soupe): 47 calories, 4 g de gras (1 g sat., 2 g mono.), 0 mg de cholestérol, 2 g de glucides, 1 g de protéines, 1 g de fibres, 38 mg de sodium, 36 mg de potassium.
Recette de Suzanne Kristen of KristensRaw.com

PESTO AUX TOMATES SÉCHÉES DE TOSCANE

Donne environ 250 ml (1 tasse)

250 ml (1 tasse) de tomates séchées,
trempées dans l'eau de 1 à 2 heures (réserver l'eau de trempage)

125 ml (1/2 tasse) comble de basilic frais

60 ml (1/4 tasse) de pignons

5 ml (1 c. à thé) d'ail pressé

5 ml (1 c. à thé) de sel d'Himalaya

30 ml (2 c. à soupe) de jus de citron frais

80 ml (1/3 tasse) d'huile d'olive extravierge

Passer tous les ingrédients (sauf l'huile d'olive) au robot culinaire. Ajouter un peu d'eau de trempage des tomates au besoin. Ajouter l'huile d'olive lorsque le mélange aura la consistance d'une purée.

Valeur nutritive par portion de 15 ml (1 c. à soupe) : 64 calories, 6 g de gras (1 g sat., 4 g mono.), 0 mg de cholestérol, 2 g de glucides, 1 g de protéines, 1 g de fibres, 216 mg de sodium, 134 mg de potassium.

Recette de Suzanne Kristen of KristensRaw.com

CHAPITRE 4

Bien se nourrir pour garder la forme

Chacun d'entre nous sait très bien qu'on est ce qu'on mange. Pas besoin d'avoir un doctorat pour être au courant que certains aliments commerciaux ne sont pas bons pour la santé. La preuve, c'est que tout naturellement, les parents limitent l'accès des friandises à leurs enfants, qu'il s'agisse de croustilles, de chocolat ou d'autres sucreries, tentant le plus souvent possible d'associer ces aliments à l'exception. Il en va de même chez les adultes qui s'efforcent de limiter, souvent pour des questions de poids, leur consommation de frites, de pommes de terre, de sauces riches, etc. Bref, nous savons tous ce qui est bon ou mauvais.

Ce que l'on sait moins par contre, c'est que même si nous absorbons des aliments de bonne qualité, il y a parfois des mariages alimentaires malheureux qui devraient être bannis, même si ces combinaisons alimentaires font partie de notre quotidien depuis toujours. Il est capital de bien comprendre l'importance des combinaisons alimentaires si on veut demeurer en bonne santé ou si on veut retrouver la santé. Dans mon cas, c'est exactement ce qui est arrivé. C'est un problème de santé qui au fil des ans m'a emmenée à adopter une approche alimentaire différente de celle que m'avaient léguée mes parents. Même si ça peut sembler étrange, je ne peux que me féliciter d'avoir connu ces problèmes de santé alors que j'entamais la cinquantaine. Ils m'ont permis de m'ouvrir à de nouveaux horizons et je ne m'en porte que mieux.

Personnellement, j'en suis rendue à ne manger que des fruits, des légumineuses, des grains et des légumes, ayant délaissé la viande depuis quelques années. Mais comme je l'ai expliqué, je n'en suis pas arrivée là au terme d'une démarche radicale. Le tout s'est fait graduellement, par expérimentation. Quand j'apprenais quelque chose de nouveau, je l'essayais et si j'en ressentais les bienfaits, je l'adoptais. En plus, tous ceux qui vieillissent ne le savent que trop bien : plus on prend de l'âge, plus on est sensible aux réactions de son corps. La plupart du temps, on y est sensible parce que la machine commence à avoir des ratés. Avec les années, les bobos se multiplient et il est certain que cette situation nous oblige à faire plus attention. On se met généralement alors à voir des médecins et souvent à recourir à des médicaments.

J'ai été chanceuse. En ce qui me concerne, je n'ai pas besoin de médecin de famille, pas plus que de médicaments. Je suis toujours active, j'enseigne encore et je donne aussi des traitements capillaires, ce qui m'occupe passablement. En fait, mes semaines de travail sont aussi remplies (et parfois plus) que celles d'une femme de 50 ans...

Ma vitalité, je la dois non seulement à l'entretien quotidien de mes chakras, mais aussi à mon alimentation et aux exercices physiques auxquels je me soumets quotidiennement. Voici donc comment je gère mon alimentation. Je le répète : il ne s'agit pas de révolution alimentaire. Il s'agit simplement d'apprendre à faire des mélanges alimentaires qui sont bénéfiques pour notre organisme. Et le fait de bien manger n'enlève rien aux plaisirs de la table, bien au contraire. Vous vous retrouverez devant des plats savoureux et beaux et qui, en plus, vous apporteront une énergie nouvelle. Qui sait ? Peut-être, tout comme ça a été le cas pour moi, cette cuisine vous aidera-t-elle à vous débarrasser de quelques petits problèmes de santé qui nuisent à la qualité de votre vie. Si vous n'avez pas de problèmes, tant mieux ! Vous réussirez peut-être alors à les éviter pour l'avenir.

Faire un bilan

Il y a plusieurs dizaines d'années, le choix alimentaire qu'on nous offrait était loin d'être aussi varié qu'il ne l'est de nos jours. Il n'y a vraiment plus de raisons de mal s'alimenter et l'argent n'est pas une excuse, d'autant plus que ce qui coûte le plus cher dans les supermarchés est encore aujourd'hui la viande.

Par ailleurs, on constate que tout le monde s'ouvre de plus en plus aux aliments biologiques, ce qui, en soi, est une excellente chose. Et dans ce cas aussi, même en admettant que ces aliments coûtent plus cher que les légumes produits de façon industrielle, l'argent ne peut constituer une excuse pour ne pas en consommer.

Tout cela est une question de choix. Il faut commencer par connaître ses besoins et, aussi, ses goûts.

Parlons d'abord de besoins. Les humains ont besoin d'eau pour bien vivre, c'est connu. Inutile de s'étendre sur ce sujet puisque l'offre est plus qu'abondante, du moins ici. L'eau du robinet est habituellement de bonne qualité, mais il y a moyen de la rendre meilleure. Personnellement, je remplis un pot d'eau que je recouvre d'un sac en plastique (pour pouvoir le réutiliser, ce qui est plus difficile à faire avec une simple pellicule plastique) et je laisse reposer l'eau sur le comptoir (ou au frigo, si vous aimez l'eau froide) pendant une journée. Laisser reposer l'eau permet d'éliminer certains gaz, comme le chlore... L'eau n'en est que meilleure au goût et votre organisme profite alors d'un produit de qualité supérieure, sans que vous ayez eu à débourser un sou.

Donc, l'eau est le premier besoin des humains. On a aussi, évidemment, besoin d'air mais il est plus difficile, pour l'instant du moins, d'intervenir sur la qualité de l'air qu'on respire. On a ensuite besoin de glucides – des céréales comme le millet, le sarrasin, l'avoine, l'orge, etc. –, de protéines que l'on trouve dans les céréales, les légumineuses, le tofu, la spiruline (il y a évidemment des protéines animales dans la volaille, le bœuf, les œufs, les poissons). On a de plus besoin des lipides que fournissent les noix, les poissons et les huiles pressées à froid ainsi que de vitamines, de minéraux et des oligo-éléments que l'on trouve dans les fruits et légumes.

Avant d'entreprendre de changer son alimentation, je pense qu'il est important de faire un bilan alimentaire et surtout d'être honnête avec soi-même quand on le fait. Ce n'est pas un exercice difficile. Il suffit de faire attention, pendant une semaine, à ce que l'on mange et d'écouter son corps après les repas, de s'attarder à comment on se sent, de surveiller ses réactions. Vous remarquerez rapidement des sensations, parfois agréables, d'autres fois moins. Chose certaine, il s'agira de sensations que vous connaissez déjà, mais auxquelles vous n'accordiez pas suffisamment d'importance.

Par la suite, modifiez, à votre rythme, les composantes de vos repas en y incorporant, autant que faire se peut, des légumes biologiques. Soyez curieux : rien ne vous empêche d'essayer des fruits et des légumes que vous ne connaissez pas ou que vous connaissez peu. Quant à la façon de les apprêter, il n'en tient qu'à vous et à ce sujet, de nos jours, rien n'est plus facile que de trouver une recette pour se faire plaisir.

Car c'est véritablement de plaisir dont il est question. Quand vous vous installez à table, assurez-vous d'avoir le temps nécessaire pour apprécier votre repas. Prenez le temps de goûter, de mastiquer, de savourer votre préparation. Dites-vous également que tout évolue dans la vie et que vos plats deviendront, avec la pratique, de plus en plus goûteux et de plus en plus beaux, si vous êtes le moindrement créatif. Il faut oser le mélange des légumes, des légumineuses, des couleurs des aliments. Ne craignez pas de poser des questions, de faire des recherches, de faire des expériences. Le monde culinaire est infini et se prête, souvent de façon bien agréable, à toutes les tentatives imaginables.

Améliorer son ordinaire alimentaire est un processus qui est propre à chacun, même si des règles précises existent pour tirer le maximum de bienfaits des aliments. La première règle est facile à retenir. Il s'agit des quatre V : vert, vivant, végétal et varié.

Une autre règle est facile à suivre, à condition d'être bien informé. Elle consiste à respecter les combinaisons alimentaires. Une mauvaise combinaison alimentaire survient quand l'organisme, pour digérer les aliments, doit produire en même temps deux ou plusieurs enzymes. Un exemple de mauvaise combinaison alimentaire : la viande et les pommes de terre, même si c'est là un des plus grands classiques de la cuisine traditionnelle.

Enfin, une autre règle, mais non la moindre : l'humain a besoin quotidiennement de six légumes, de deux fruits frais, de céréales complètes et d'un aliment qui apporte des protéines comme les légumineuses, les noix, le jaune d'œuf, le poisson grillé ou les volailles, selon l'Académie nord-américaine de naturopathie.

La viande

Je vous l'ai dit, personnellement, j'ai éliminé la viande de mon menu depuis quelques années. Je ne m'en porte que mieux, mais je ne suis pas une militante enragée qui vous demandera de rejeter immédiatement ces aliments. Normalement, au fur et à mesure de votre progression, vous devriez délaisser la viande, car vous n'en ressentirez plus le besoin puisque vous trouverez dans les autres aliments tout ce qu'il faut pour vivre en santé. En fait, vous en viendrez probablement à délaisser la viande parce qu'elle vous créera un inconfort après les repas. Quand je suis invitée chez des gens qui n'ont pas (encore) adopté mon régime alimentaire, je ne fais pas d'histoires et je mange ce qu'on m'offre. Malheureusement, une heure ou deux après le repas, mon organisme proteste en m'imposant un inconfort que je corrige dans les heures qui suivent en reprenant mon régime habituel.

Outre cela, il y a plusieurs autres raisons pour éviter la viande (rouge, surtout). Chez certains végétariens ou végétaliens, un aspect moral sous-tend cette question : ils ne veulent pas que l'on tue un animal pour en manger la chair. Si cette position est très respectable, elle est loin d'être partagée par tous, comme il est facilement possible de le constater.

Cependant, d'autres éléments méritent aussi réflexion concernant notre propension à consommer de la viande.

Tout d'abord, c'est un secret de Polichinelle, tous les pays industrialisés où se consomme beaucoup de viande détiennent des records de maladies sérieuses, comme le cancer, les maladies cardiovasculaires, l'anémie, le diabète, l'arthrite, l'ostéoporose et, on en parle plus que jamais maintenant, l'obésité. La consommation de viande, alliée à la préparation qu'on en fait, apporte à l'organisme du gras et du cholestérol et la façon d'élever les animaux pour la consommation humaine nous transfère des hormones, des antibiotiques, des résidus de pesticides, sans parler des bactéries et des virus.

Il faut également ajouter que les humains ne sont pas très bien conçus pour manger de la viande. Tout dans notre organisme nous apparente plutôt à un animal végétarien.

Alors que les carnivores, les vrais, comme les lions, les tigres ou les chats, ont des griffes et de grandes canines pour déchirer la chair de leurs proies, les humains ont des incisives et des molaires pour broyer leurs aliments. La salive des humains est alcaline et contient de la ptyaline, une enzyme qui assure la digestion des amidons, ce que n'ont pas les grands prédateurs. Enfin, le foie des carnivores est capable d'éliminer dix à quinze fois plus d'acide urique, produite par la consommation de viande, que celui d'un animal végétarien; quant au foie des humains, il peine à éliminer cette substance qui peut s'avérer toxique. On pourrait poursuivre longuement sur les différences physiques existant entre les humains et les véritables carnivores...

Autant de raisons qui m'ont emmenée à abandonner la consommation de viande. Mais vous ferez bien vos expériences...

Les combinaisons alimentaires

Les combinaisons alimentaires sont incontournables, elles sont la base d'une bonne alimentation et c'est maintenant reconnu. Plusieurs diètes utilisent les combinaisons alimentaires pour permettre aux gens de perdre du poids tout en mangeant à leur faim. Le problème de ceux qui ont recours à ces méthodes, c'est qu'ils abandonnent trop souvent ces habitudes alimentaires quand ils considèrent qu'ils ont perdu assez de poids. S'ils poursuivaient leur régime, non seulement garderaient-ils leur poids idéal, mais ils seraient aussi en bien meilleure santé.

Bien entendu, ces combinaisons alimentaires mises au point par Herbert Shelton, au début du XXᵉ siècle, sont contestées par quelques scientifiques qui soutiennent que les connaissances médicales, à cette époque, n'étaient pas assez évoluées, surtout en ce qui concerne le système digestif. Il y a effectivement une contestation, mais elle se heurte à un problème de taille : les personnes qui mettent en pratique les combinaisons alimentaires sont en meilleure santé et se sentent mieux et plus en forme.

À cela, j'ajoute qu'en adoptant cette façon de manger, on nourrit le corps adéquatement en lui fournissant tous les ingrédients nécessaires et, qui plus est, des ingrédients que l'organisme ne peine pas à assimiler.

Dans ce qui va suivre, vous constaterez clairement que les aliments préparés sont bannis. D'une façon générale, leur valeur nutritive est assez faible, d'autant plus que leur teneur en sucre, conservation oblige, est très élevée, ce qui en fait des aliments à proscrire. Ajoutons à cela que ces produits répondent rarement à des combinaisons alimentaires adéquates.

Nous parlerons donc de denrées fraîches, à transformer soi-même et surtout, à marier avec attention afin d'obtenir les meilleurs résultats pour notre santé et, soyons coquins, pour nous assurer un plus grand plaisir lors de la dégustation.

Les éléments nécessaires

Pour bien fonctionner, notre organisme a besoin de différents éléments. Nous allons d'abord faite une liste des éléments essentiels à notre bien-être et ensuite voir où il est possible de les trouver. En même temps, nous déterminerons les éléments qui sont moins nécessaires et ceux qui sont carrément nocifs pour notre santé.

Rappelons que deux ou plusieurs aliments forment une mauvaise combinaison alimentaire quand ils exigent que l'estomac sécrète plus d'une enzyme pour les digérer. Ainsi, l'estomac se servira de protéase pour digérer les protides, de glucidase pour digérer les glucides et de lipase pour les lipides.

La composition biochimique des aliments permet de les classer comme suit :

Glucides :
– toutes les céréales, le pain, les pâtes, etc.
– les légumes-racines, comme les carottes, les navets, les pommes de terre, etc.
– les légumineuses, comme les pois, les fèves, les haricots, etc.

Lipides :
– les huiles, le lard, le gras animal et végétal

Protides :
– les viandes, les poissons, les œufs, le lait, le fromage, les noix, les fruits azotés

Fruits doux :
– les bananes, les raisins doux, les dattes, les figues, etc.

Fruits mi-acides :
– les poires, les pommes, les pêches, les abricots, les cerises, etc.

Fruits acides :
– les citrons, les oranges, les pamplemousses, les ananas, les tomates, etc.

Il est vrai qu'il peut être fastidieux d'avoir à démêler tout ça. C'est pourquoi vous trouverez ici un tableau mis au point par le biologiste Jean Rocan qui vous aidera grandement à vous y retrouver.

	PROTIDE	GLUCIDES	LIPIDES	LAIT FRAIS	LAIT CAILLÉ	LÉGUMES VERTS	FRUITS ACIDES	FRUITS MI-ACIDES	FRUITS DOUX	MELONS
PROTIDES (AZOTÉS)	M	M	M	M	M	B	M	M	P	M
GLUCIDES (AMYLACÉS)	M	B	B	M	M	B	M	M	P	M
LIPIDES (GRAISSES)	M	B	B	A	A	B	B	B	B	M
LAIT FRAIS	M	M	A	B	B	P	A	A	M	M
LAIT CAILLÉ	M	M	A	B	B	P	A	A	A	M
LÉGUMES VERTS	B	B	B	P	P	B	P	P	P	M
FRUITS ACIDES	M	M	B	A	A	P	B	B	P	A
FRUITS MI-ACIDES	M	M	B	A	A	P	B	B	B	A
FRUITS DOUX	P	P	B	M	A	P	P	B	B	A
MELONS	M	M	M	M	M	M	A	A	A	B

Un coup d'œil sur ce tableau permet de comprendre facilement quelles combinaisons établir pour obtenir un repas qui assurera une bonne digestion et qui, par le fait même, éliminera tout inconfort.

Voici une autre grille pour vous aider à faire de bons choix.

Bonnes combinaisons alimentaires

PROTÉINES

- Viande
- Poisson et fruits de mer
- Produits laitiers
  - fromage
  - lait
  - yogourt
- Œufs
- Olive
- Avocat
  (à consommer avec tous les produits sauf les protéines)

- Fèves soja
  - miso
  - tamari
  - tofu
- Noix
  - amande
  - aveline
  - cajou
  - citrouille
  - de coco
  - de Grenoble
  - du Brésil

Graines
  - lin
  - sésame
  - tournesol

LÉGUMES VERTS

- Ail
- Anis
- Asperge
- Aubergine
- Brocoli
- Canneberge
- Céleri
- Chicorée
- Chou
- Chou chinois
- Chou de Bruxelles
- Chou-fleur
- Chou-rave
- Ciboulette
- Colza
- Concombre
- Courge
- Courgette
- Cresson
- Échalote
- Épinard
- Escarole
- Feuille de betterave
- Haricot vert
- Laitue
- Moutarde
- Molène
- Navet
- Oignon
- Okra (gumbo)
- Oseille
- Persil
- Piment doux
- Pissenlit
- Poireau
- Poivron
- Pousse de bambou
- Radis
- Rhubarbe
- Rutabaga

Pas de combinaison

FÉCULENTS

- Céréales
  - avoine
  - blé
  - maïs
  - millet
  - orge
  - riz
  - sarrasin
  - seigle
- Légumineuses
  - arachide
  - fève adukis et mung
  - fève blanche
  - fève de lima

  - fève de rognon
  - lentille
  - pois chiche
  - pois jaune
  - pois vert cassé
  - betterave
  - carotte
  - citrouille
  - maïs
  - marron
  - pomme de terre
  - salsitis

Bonnes combinaisons alimentaires

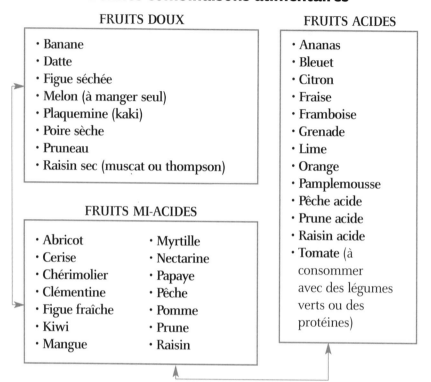

FRUITS DOUX

- Banane
- Datte
- Figue séchée
- Melon (à manger seul)
- Plaquemine (kaki)
- Poire sèche
- Pruneau
- Raisin sec (muscat ou thompson)

FRUITS MI-ACIDES

- Abricot
- Cerise
- Chérimolier
- Clémentine
- Figue fraîche
- Kiwi
- Mangue
- Myrtille
- Nectarine
- Papaye
- Pêche
- Pomme
- Prune
- Raisin

FRUITS ACIDES

- Ananas
- Bleuet
- Citron
- Fraise
- Framboise
- Grenade
- Lime
- Orange
- Pamplemousse
- Pêche acide
- Prune acide
- Raisin acide
- Tomate (à consommer avec des légumes verts ou des protéines)

Il va de soi que lorsqu'on adopte ces combinaisons alimentaires, on tente, autant que faire se peut, de privilégier les aliments complets (non transformés), sans additifs et naturels. Évidemment, dans certaines circonstances, vous serez dans l'obligation d'utiliser des fruits ou des légumes en conserve, ce qui ne vous empêchera pas de respecter les combinaisons alimentaires. Notez également que dans le cas des melons, il est toujours préférable de les manger seuls.

Voici quelques règles d'un autre spécialiste, le docteur Shelton, le créateur des combinaisons alimentaires, qui accompagnent cette grille *(Les combinaisons alimentaires, Éditions Courrier du livre)* :

1. Manger les acides et les amidons (féculents) à des repas séparés.
2. Manger les aliments protéiques et les hydrates de carbone *(amidon/farineux)* à des repas séparés.
3. Ne manger à un même repas qu'un aliment contenant une protéine concentrée.
4. Manger les protéines et les acides à des repas séparés.
5. Manger les corps gras et les protéines à des repas séparés.
6. Manger les sucres et les protéines à des repas séparés.
7. Manger les amidons et les sucres à des repas séparés.
8. Manger les melons seuls.
9. Prendre le lait seul, ou ne pas en consommer.
10. Délaisser les desserts.

Cette prescription de combinaisons alimentaires est la première qui a été établie et certains scientifiques la contestent parce qu'ils la trouvent trop radicale. Selon plusieurs diététistes, la théorie du docteur Shelton se rapproche beaucoup de ce que les naturopathes appellent une « mono-diète » (manger un seul aliment par repas) et ils affirment que Shelton, plutôt que de parler de « combinaisons » alimentaires, aurait dû utiliser le terme de « dissociations » alimentaires.

La controverse vient de ce que la grille du docteur Shelton facilite la digestion en mariant les ingrédients qui n'exigent pas un effort supplémentaire de la part du système digestif pour éliminer les déchets et soutirer les nutriments.

Plusieurs soutiennent qu'il ne faut pas unique-ment favoriser une bonne digestion parce que si les aliments ne demeurent pas suffisamment longtemps dans le système digestif, l'organisme ne peut jouir de la totalité de leurs bienfaits. Ainsi, dit-on, une digestion rapide ferait en sorte que l'intestin grêle n'a pas le temps de retirer tous les nutriments nécessaires, ce qui peut, selon les tenants de cette théorie, engendrer des carences et provoquer l'accumulation de déchets toxiques. Toujours selon ces spécialistes, l'application intégrale de la grille alimentaire du docteur Shelton risque de favoriser des carences après trois semaines ou un mois et de représenter un danger pour les personnes âgées qui ont peu de réserves ou encore chez les enfants ou les femmes enceintes.

En fait, ce qui dérange le plus ces spécialistes, c'est surtout que le docteur Shelton place les protides (qui fournissent les protéines) sous le feu de la rampe. C'est clair que si l'on se fie à sa grille, les viandes, les œufs et la volaille sont à proscrire. Il faut cependant savoir qu'il est tout à fait possible de se procurer ailleurs les protéines nécessaires à notre organisme.

Personne ne conteste le fait que les protéines d'origine animale sont de qualité supérieure aux protéines végétales en ce sens qu'elles sont mieux équilibrées en acides aminés indispensables. C'est indiscutable. Il est vrai que les protéines végétales manqueront parfois d'un acide aminé indispensable. Il faut alors faire d'autres combinaisons entre les sources protéiques afin de retrouver l'ensemble des acides aminés essentiels au bon fonctionnement de l'organisme.

Pour démontrer ce que je viens de dire, prenons l'exemple du couscous. Le mariage de la semoule et des pois chiches fait en sorte que cette combinaison renferme l'ensemble des acides aminés nécessaires à l'organisme. Dans toutes les cultures, on trouve de tels assemblages. Songeons simplement aux Indiens d'Amérique du Sud qui mélangent maïs et haricots ou encore aux Asiatiques qui ne se gênent pas pour ajouter du soja à leur riz.

Plusieurs civilisations ont un régime alimentaire de base presque exclusivement végétarien et les études démontrent bien que lorsque les aliments sont disponibles en quantités suffisantes, il n'y a pas de carences protéiques. La combinaison céréales et légumes secs, connue depuis toujours, fournit tous les acides aminés requis... Le truc, c'est la combinaison... Et, chose importante car il y a tout un mythe à ce sujet, on n'a pas à faire la combinaison des différents apports en protéines à chaque repas : en variant les sources alimentaires végétales, on obtient toutes les protéines voulues ! Il est cependant important de varier continuellement. De toute façon, ne serait-ce que pour le goût, la variété s'impose.

Voici deux tableaux qui comparent l'apport en acides aminés de divers aliments. Comme vous le consta-terez, en effectuant une combinaison des différents végétaux, on arrive rapidement à atteindre la somme des acides aminés contenus dans les viandes.

TABLEAU 1

Aliments	Isoleucine	Leucine	Lysine
protéines de référence	4,2	4,8	4,2
ORIGINES ANIMALES			
œuf de poule (1)	6,9	9	7,2
viandes/poissons (4)	7,7	6,3	8,1
ORIGINE VÉGÉTALES			
soja (1)	5,6	7,6	6,3
flageolets (1)	5,1	8,4	7,6
LÉGUMINEUSES			
pois chiches (1)	4,7	7,8	7,4
lentilles (1)	5	7,6	7,7
CÉRÉALES			
riz cuit (5)	5	9	4
blé tendre (6)	3,9	6,5	2,7
millet (5)	5,5	1	5,3
avoine (5)	4,8	7	3,4
orge (5)	4,2	6,8	3,4
OLÉAGINEUSES			
sésame (9)	4	6,6	2,5
LÉGUMES			
pomme de terre (5)	7	6,5	6
FEUILLES			
luzerne (10)	4,7	8,7	6,3
COMPLÉMENTS			
germe de blé (8)	4,8	6,9	6,2
ALIMENTAIRES			
levure de bière (5)	5,2	7	7,4
pollen (3)	13,4	20,1	6
spiruline (algue) (2)	5,6	8,7	4,7

Apport en acides aminés

Méthionine	Phénylalanine	Thréonine	Tryptophane	Valine
4,2	2,8	2,8	1,4	4,2
5,8	5,9	5	2,4	7,4
3,3	4,9	4,6	1,3	5,8
3,6	5,4	3,9	1,2	5,4
2,5	5,8	5,1	?	5,2
3,3	6	3,9	?	4,7
2,4	5,5	3,9	?	5,4
2,5	5,5	4	1	7
3,8	4,4	3	1,1	4,5
3,4	4,4	4	2,2	6
3,4	5	3,1	1,2	5,5
3,6	5,1	3,3	1,3	5
5,2	4,6	3,5	?	5,1
2,5	4,5	3,5	1,5	5,5
3,3	4,9	4,7	1,9	6
2,8	3,7	5,5	1,1	6,2
3,1	4,5	5,3	1,5	5,6
11,7	10,1	13,1	4,6	17,1
3,2	4,5	5,1	1,5	6,5

Voici maintenant le pourcentage des acides aminés apportés par la viande bovine et les légumes verts, par rapport au total des protéines (conformément au tableau des substances vitales de H.A. Schweigart et G. Quellmalz).

TABLEAU 2

	Muscle bovin	Légumes verts
Lysine	7,05	4,96
Tryptophane	1,13	1,65
Phénylalanine	4,26	3,91
Méthionine	2,87	2,00
Thréonine	4,00	3,57
Leucine	6,70	9,58
Isoleucine	7,48	4,69
Valine	5,04	5,21
Total	**36,53**	**35,57**

Les protéines sont essentielles au bon fonctionnement de notre corps. En fait, ce sont elles qui en permettent le bon fonctionnement, la croissance et la réparation des tissus. Cependant, le corps ne fabrique pas de protéines par lui-même. Il faut donc s'en procurer à l'extérieur, d'où la fonction alimentaire. Le système digestif, les sucs notamment, « coupent » les protéines et les réduisent en acides aminés qui sont ensuite acheminés vers les cellules de l'organisme qui, à ce moment, fabriqueront des protéines. Il faut également savoir qu'il n'est pas possible de fabriquer des réserves de protéines, comme c'est le cas avec les graisses, et c'est la raison pour laquelle nous devons nous alimenter pour remplacer les protéines qui disparaissent. La durée de vie des protéines est de 115 jours environ et l'apport quotidien de calories pour maintenir un niveau adéquat est de 1400 à 4500 calories, selon les individus, le sexe, la corpulence et les activités. On estime généralement que l'apport d'un gramme de protéine par kilo du poids d'un adulte est nécessaire quotidiennement. Chez les enfants et les adolescents, il faut doubler cet apport. Huit acides aminés essentiels doivent être présents dans notre nourriture : l'isoleucine, la leucine, la lysine, la méthionine, la phénylalanine, la thréonine, le tryptophane et la valine. Deux autres acides aminés, l'histidine et possiblement la taurine, sont requis seulement durant l'enfance.

Cependant, il faut aussi tenir compte de la qualité des protéines que l'on absorbe. Elles se doivent d'être faciles à digérer afin d'être aisément acheminées dans le sang, de sorte qu'il faut tenir compte de la structure de la protéine et de la présence « de composants tels que fibres, tannins, ou encore de facteurs « antinutritionnels » que l'on retrouve dans le soja et autres légumineuses, mais qui s'évaporent lors de la cuisson » *(Source : Biochimie des aliments-Diététique de sujet bien portant. M. Frénot, E. Vierling. éd. Doin 2001).*

Aliment	Digestibilité (%)	Aliment	Digestibilité (%)
Œuf	97	Blé raffiné	96
Lait, fromage	95	Farine d'avoine	86
Viande	94	Millet	79
Poisson	85	Pois	88
Maïs	88	Farine de soja	95
Blé complet	86	haricot	86

Trouver des protéines végétales

Le champion : le soya

Cultivé en Chine depuis des millénaires, le soja a des qualités nutritionnelles exceptionnelles. Ses graines contiennent jusqu'à 35 % de protéines, 18 % de lipides et 32 % de glucides. Elles sont bien équilibrées en acides aminés indispensables, mis à part un léger déficit en méthionine. Les protéines du soja sont de qualité équivalente à celles de la viande. Néanmoins, le soja contient de nombreux éléments indigestes (présents d'ailleurs dans les autres graines de légumineuses et susceptibles de provoquer des flatulences) qui disparaissent quand le soja est transformé, cuit et fermenté. Le soja est sans contredit le produit végétal le plus complet et le plus répandu. Il est à noter qu'il est possible d'obtenir des protéines à partir des sauces faites à base de soja. C'est le cas de la sauce tamari et shoyu. D'autres produits dérivés du soja, comme le miso, le natto et le tofu, procurent également une bonne quantité de protéines. Il en va de même avec le tonyu, le tempeh et le sojami.

Les légumineuses

Leur teneur en protéines est semblable à celle de la viande, mais à cause d'une faiblesse en méthionine, il faut compenser par des combinaisons. Voici la composition nutritionnelle de quelques légumineuses.

Légumineuses	Protéines	Lipides	Glucides	Valeur calorique
Lentille crue	24	1,8	56	336
Haricot blanc cru	21,3	1,6	57,6	330
Pois chiche cru	18	5	61	361
Fève sèche crue	23	1,5	59	343
Petit pois sec cru	20,7	1,4	56,4	321
Soja jaune sec	35,1	17,7	32	427

Source : Recueil de données sur la composition des aliments, UFR et CHRU de Dijon, Kleping et al., CEIV Roche, 1996.

Les céréales

Le kamut est qualifié de « roi des grains ». Originaire de l'Égypte ancienne, il est cultivé au Canada avec des méthodes biologiques et n'a jamais été génétiquement « amélioré ». Sa proportion de protéines est exceptionnelle et peut varier de 20 % à 30 %. Il fournit beaucoup de magnésium (23 %), de zinc (25 %), en plus de la riboflavine, de la thiamine et de la niacine en bonnes quantités. Il contient également beaucoup plus de vitamine E que les autres grains et fournit 16 acides aminés. Les pâtes faites à partir de ce blé ont un goût unique, tout comme le pain et les céréales.

Le millet est également intéressant, même s'il est moins riche alors que le quinoa recèle aussi une bonne quantité de protéines ainsi que de la lysine. Enfin, le seitan, une espèce de boule de pâte faite à partir du gluten de blé, a une bonne valeur nutritionnelle puisqu'on y trouve 24,7 % de protéines, 3,7 % de glucides, 0,3 % de lipides et 1,05 % de minéraux et que sa valeur calorique est de 110. Ce produit est particulièrement adapté pour ceux qui supportent bien le gluten.

Les bienfaits de la germination

Vous verrez, un peu plus loin dans ce chapitre, comment il est possible de faire germer certaines graines chez soi. Mais avant d'en arriver à cette étape, examinons ce que cette technique a d'avantageux. Ce qu'il faut savoir, c'est que les aliments germés et les jeunes pousses sont non seulement la base d'une diète efficace, mais ils sont aussi les aliments les plus nutritifs qui soient à notre portée. Les graines, les céréales et les légumineuses soumises à ce traitement sont facilement assimilables par l'organisme et constituent une source de nutriments et d'enzymes.

Quand on absorbe ces aliments, on en absorbe la force puisqu'ils sont totalement frais, ce qui aide grandement l'organisme, qui n'a ainsi aucune difficulté à en soutirer les éléments positifs et à les digérer rapidement, ne gardant de leur passage qu'une énergie nouvelle et revitalisante qui peut être directement et immédiatement utilisée par notre corps.

Faire germer une graine consiste ni plus ni moins qu'à provoquer une libération étonnante d'énergie. Dans la nature, cette graine, si elle tombe au bon endroit et dans de bonnes conditions, donnera naissance à une plante qui reproduira éventuellement d'autres graines pour assurer le cycle de vie. Mais au moment où la graine change pour donner naissance au petit plant, elle modifie complètement son état en modifiant des enzymes, en convertissant l'amidon en sucres simples, en synthétisant des vitamines, en transformant les protéines en acides aminés et les lipides en gras que l'organisme parvient à dissoudre facilement. En fait, la graine est là pour assurer au jeune plant d'avoir suffisamment de force pour bientôt parvenir à se nourrir à même le sol. Quand on mange un aliment en germination, c'est cette force que l'on obtient.

Les aliments germés ont également une autre propriété, soit celle de permettre à notre estomac de moins travailler puisqu'elles sont riches en enzymes, ce qui signifie que le corps n'a pas besoin d'utiliser ses réserves pour en permettre la digestion.

Encore une fois, j'insiste sur la consommation des légumineuses, notamment, qui sont, selon moi, l'élément le plus nutritif auquel nous avons accès de façon facile et continue.

Liste des meilleures germination

1) La verdure

Chou: Vitamines A et C ainsi que minéraux.
Cresson: fournit minéraux et vitamines.

Fenugrec : Fer, vitamine A et protéines. Aide à nettoyer le foie.

Luzerne : Protéines, vitamines A, B, C, D, E, F et K

Moutarde : Vitamines et minéraux.

Radis : Potassium et vitamine C. Aide à nettoyer le foie.

Trèfle : Protéines, vitamine C, minéraux. Aide à nettoyer le foie. À combiner avec la luzerne.

2) Les jeunes pousses

Herbe de blé : Chlorophylle, calcium, potassium, magnésium, fer, vitamine C, protéines.

Sarrazin : Rutine, lécitine, calcium, chlorophylle.

Tournesol : Protéines, potassium, vitamine D, magnésium, chlorophylle.

3) Les céréales

Avoine : Protéines, vitamine A, minéraux, fibres.

Blé : Vitamines B, C, E, minéraux, protéines.

Épeautre : Vitamines B et E, minéraux, protéines.

Kamut : Vitamines B et E, minéraux, protéines.

Millet : Vitamines A et B, protéines, fibres. Est alcalin.

Quinoa : Protéines, vitamines B1, B2, B6, fer, phosphore.

Sarrazin blanc : Rutine, lécithine, calcium.

Seigle : Vitamines B et E, minéraux et protéines.

4) Les légumineuses

Azukis : Protéines, fer, calcium.

Lentilles : Protéines, vitamine B, minéraux et carotène.

Mung : Protéines, vitamines A.,B,C, fer et potassium.

Pois chiches : Protéines, minéraux, carotène, vitamine B12.

5) Les oléagineux

Sésame : Potassium, calcium, fer.

Tournesol : Potassium, vitamine D et vitamines du complexe B.

Remarques sur les céréales et les légumineuses et certains oléagineux

Un des éléments particuliers des légumineuses, des céréales et de certains fruits oléagineux est de contenir de l'acide phytique, un produit qui nuit à l'absorption des minéraux comme le zinc, le magnésium, le cuivre, le fer ou le calcium.

Il est facile de réduire l'action de cet acide en faisant griller les céréales et les fruits oléagineux avant de les consommer et en laissant tremper, avant de les cuire, les légumineuses et les céréales ou en procédant à la germination. Cette dernière technique a un avantage sérieux puisque, en plus, elle permet de réduire le temps de cuisson et donc de garder aux aliments un maximum de leurs éléments nutritifs. Cela dit, il ne faut pas s'inquiéter outre mesure de la présence de ce produit, et il n'y a pas de risque sérieux que la présence de cet élément puisse provoquer des carences alimentaires. En plus, selon certaines études, il serait efficace dans la lutte au cancer du côlon... Alors...

Vous devez également savoir qu'on trouve dans les légumineuses ce que les scientifiques appellent des « inhibiteurs de trypsine ». En termes plus clairs, ces produits contiennent une substance capable de ralentir l'action de la trypsine qui a pour fonction de digérer les protéines. Ce qui peut avoir pour effet de ralentir la digestion et causer un inconfort.

Les jeunes pousses

Avoir un jardin chez soi ne demande pas un équipement sophistiqué, ni de talent en matière de jardinage. Il suffit d'un peu d'attention et de temps pour se procurer des aliments d'une fraîcheur exceptionnelle puisque vous les coupez et les consommez dans les minutes qui suivent.

Non seulement obtiendrez-vous ainsi des aliments d'une fraîcheur indiscutable, mais en plus, vous poserez un geste écologique, car le transport (par camion, train ou bateau) de légumes venus d'aussi loin que le Pérou est loin d'être un bienfait pour l'environnement!

Pour obtenir de parfaites jeunes pousses, il suffit d'un peu de terre, de la lumière, de l'eau et une bonne température. Si vous êtes obligé de placer votre petit jardin dans un endroit mal éclairé, utilisez une ampoule électrique.

Vous obtiendrez facilement de bons résultats avec le sarrazin, le tournesol et l'herbe de blé, mais il y est possible de faire pousser bien d'autres produits qui vous procureront fraîcheur et énergie à longueur d'année.

Les algues

Même si les algues ont des promoteurs d'envergure (on n'a qu'à penser à Victoria Beckham, Madonna ou Cindy Crawford), ce ne sont pas encore, hélas, des éléments courants dans nos assiettes. Et cela, même si elles deviennent de plus en plus populaires parce qu'elles contiennent des minéraux importants pour l'organisme qu'on ne trouve dans aucune autre forme végétale. Le corps absorbe plus facilement les protéines des algues que les protéines que l'on trouve dans la viande, ce qui est un élément clé permettant de conserver non seulement notre santé, mais aussi notre jeunesse. Les algues, très pauvres en calories et riches en glucides, constituent d'excellents coupe-faim et facilitent l'élimination, préviennent la constipation ainsi que les hémorroïdes. Que désirer de plus ?

Meilleures que les légumes

Il y a environ 2000 sortes d'algues, mais seulement une cinquantaine d'entre elles sont agréables à manger.

Les algues représentent la meilleure source de protéines végétales que l'on connaisse puisqu'elles procurent un éventail impressionnant de bétacarotène, de chlorophylle, d'acides aminés et de fibres, le tout à haute concentration. En fait, quantité pour quantité, elles fournissent plus de vitamines et de minéraux que toute autre nourriture. Ajoutons à cela que les algues débordent d'antioxydants et qu'elles aident à garder les cellules en santé et à bien fonctionner, ce qui en fait des aliments revigorants qui aident à conserver la forme puisque les cellules ainsi gavées peuvent fonctionner à plein régime, générant l'énergie nécessaire et, en plus, permettant de brûler les gras.

Il n'y a pas lieu de considérer les algues comme des mets étranges, surtout qu'elles ont la faculté extraordinaire de pouvoir se marier avec les autres légumes, les grains et les salades afin de favoriser dans l'organisme une meilleure utilisation de l'ensemble des protéines contenues dans tous ces aliments. Elles font toute la différence entre une nourriture de base et une nourriture de qualité.

Voici les principales algues qui se retrouvent dans le commerce ainsi qu'une courte description de leurs effets. Je vous proposerai aussi quelques recettes comprenant des algues.

Le nori : Cette algue possède deux fois plus de vitamines C qu'une orange. Elle contient également autant de bétacarotène qu'une carotte et est riche en calcium (ce qui est bon pour les os), en iode et en fer (excellent pour la thyroïde). Rouge à l'origine, elle perd de ses couleurs lorsqu'elle sèche, de sorte que, finalement, on parle de nori noir ou vert. Elle peut être grillée, consommée fraîche ou séchée. Sa teneur en protéines est très élevée : jusqu'à 47 % une fois séchée, selon certaines études.

L'aramé: Cette algue contient du magnésium, du potassium, du calcium, du sodium et de l'iode. Pour l'utiliser en cuisine, il faut la nettoyer et la laisser tremper un peu. La plante, d'un brun jaunâtre, devient plus foncée à la cuisson. Sa texture est plus tendre que celle de certaines autres algues et son goût est plus doux et plus sucré. On peut l'utiliser comme plat d'accompagnement, dans des muffins, des soupes, du riz ou des pâtes.

Le kelp: Ce mot est un emprunt à l'anglais et il n'existe aucun réel équivalent en français. Ce qu'il faut savoir, c'est que ce terme désigne les grosses algues ou les algues géantes. Celles-ci contiennent de forts volumes d'iode, de phosphore, de calcium, de magnésium et de potassium. Le kelp est une source importante de vitamines A, B1, B2, C, D et E, en plus de fournir beaucoup d'acides aminés. Il peut même remplacer le sel puisqu'il s'agit du groupe d'algues parmi les plus salées. Malgré cela, son taux de sodium est faible.

Le wakamé: Cette algue est riche en fer et contient dix fois plus de calcium qu'un verre de lait. Elle contient également beaucoup de thiamine, de niacine et de vitamine B12. Il s'agit d'une algue de culture généralement sous forme coupée et déshydratée, ce qui oblige à la faire tremper avant de s'en servir. Au trempage, elle triple de volume. Il ne faut pas la cuire longtemps si on veut en conserver les nutriments et la couleur. On s'en sert principalement dans les salades et les soupes. Mais vous pouvez laisser voguer votre imagination.

La dulse: Violette, elle a une douce saveur légèrement salée qui se marie agréablement avec des crudités. On peut s'en servir dans plusieurs autres plats comme des soupes, en accompagnement de poissons ou de quiches ou même dans les quiches. Cette algue, en plus de ses nombreux effets bénéfiques sur l'organisme, a la particularité de permettre au corps de s'adapter plus aisément aux changements de température. Si on la consomme après les repas, elle facilitera grandement la digestion, ce qui explique que plusieurs l'appellent l'algue « digestive ».

La laitue de mer: Comme son nom l'indique, elle convient bien aux salades, d'autant plus qu'elle en a l'apparence. Elle peut se manger cuite ou crue. Elle est riche en fer, en magnésium, en potassium, en vitamines A et C et en fibres, ce qui facilite la digestion et ralentit l'absorption de sucre.

Le kombu: Il s'agit d'une grande algue brune qui, une fois séchée, produit des cristaux assez semblables au sucre. Cette algue, cuite au four, étonnera tout le monde et on peut s'en servir pour envelopper d'autres mets, comme les poissons. On obtiendra alors des plats enrichis des sels minéraux de l'algue et, en même temps, on évitera le recours au papier d'aluminium. Cette algue est très riche en oligo-éléments, comme l'iode, le magnésium et le potassium. Elle a aussi une très haute teneur en glucides qui peuvent représenter jusqu'à 60 % de sa matière sèche. Elle aide à la digestion en éliminant les métaux lourds comme le plomb et les pesticides. Notez, pour les amateurs, qu'elle peut entrer dans la composition de plats à base de viande.

La spiruline: C'est probablement l'algue la plus connue de toutes, principalement parce qu'on en a fait un supplément alimentaire qui a été l'objet de nombreuses campagnes de publicité. Cela dit, cette algue est la championne toutes catégories des protéines. Aucun aliment n'en fournit autant. Elle est aussi riche en vitamines B et E, contient 30 fois plus de bétacarotène qu'une carotte et elle constitue un apport sérieux en fer, en magnésium, en phosphore et en calcium. Elle est particulièrement recommandée à ceux qui désirent retarder le processus de vieillissement, ce qui est très à propos... Les diabétiques peuvent également jouir de ses bienfaits.

Notons enfin que toutes les algues contiennent des oméga-3 et des oméga-6, ce qui en fait des compléments plus qu'intéressants.

Le pollen

Ce produit, que les gens méconnaissent, contient des protéines et dix-huit acides aminés dont les dix que l'organisme humain ne peut synthétiser. Le pollen contient également du glucose et du fructose, seize vitamines, seize sels minéraux, dix-huit enzymes, des œstrogènes et des androgènes ainsi que des ferments qui assurent la digestion des sucres et de l'amidon et qui contribuent à la bonne utilisation des phosphates par l'organisme.

Bref, c'est le genre de produit que tout le monde devrait consommer régulièrement, d'autant plus qu'il a un effet rapide et efficace sur les personnes fatiguées, qui ont des troubles de la prostate ou qui sont en manque d'appétit.

En fait, l'absorption de pollen a un effet tellement rapide que les personnes se sentent réellement plus d'attaque après en avoir pris. D'ailleurs, juste en le prenant, plusieurs peuvent avoir une sensation d'ivresse pendant quelques secondes. Si cela survient, il ne faut pas s'inquiéter, c'est tout à fait normal. Chose certaine, vous vous sentirez ensuite revitalisé.

Quand on est déprimé, le pollen a aussi un effet immédiat sur notre attitude et, sans nous faire voir la vie en rose, permet de retrouver une meilleure humeur.

Le pollen agit aussi directement sur la régulation du transit intestinal et il joue un rôle important au niveau du nettoyage de l'organisme, à un point tel qu'il permet d'avoir une peau plus claire, plus lumineuse, ce qui est extrêmement intéressant, cet effet secondaire étant tout à notre avantage.

Évidemment, il peut arriver qu'on n'ait pas de pollen à portée de main. Dans de tels cas, il suffit de manger du miel naturel non chauffé. Tout le monde connaît les vertus du miel, depuis toujours. Après tout, autrefois (et même encore aujourd'hui) quand quelqu'un avait un rhume, on lui proposait une boisson chaude, souvent de l'alcool ou du vin, avec du miel. Si personne n'est certain que ce « remède » est efficace, le malade parvient au moins à jouir des effets calmants du miel.

Mais pour obtenir tous les avantages de ce produit, il convient de ne pas le chauffer et de le consommer non pasteurisé. En effet, le miel non pasteurisé conserve toutes ses vitamines et enzymes, ce qui en fait un aliment-remède d'une grande efficacité. Il faut, ici, dire que la consommation de miel contribue à contrebalancer la vie effrénée que la plupart des gens mènent, surtout que cette façon de vivre comporte une alimentation qui est de plus en plus carencée, peu importe les technologies de production alimentaires qui sont aujourd'hui pratiquées... ou peut-être justement à cause d'elles.

Le miel, dans tout ce brouhaha, vient donc à notre secours en nous octroyant vitalité et dynamisme.

Voici quelques-uns des effets directs du miel :

- Il combat les conséquences de l'âge, ralentit le vieillissement.
- Il procure une dose immédiate d'énergie aux cellules nerveuses.
- Il fixe le magnésium et le calcium dans l'organisme des enfants et des adolescents.

- À raison de deux ou trois cuillères par jour, il rajeunit les cellules et protège les vaisseaux.

Voilà suffisamment de raisons pour apprécier le miel comme il se doit.

Les légumes

On connaît depuis toujours l'importance des légumes dans l'alimentation. Tellement que ce sont d'ailleurs les premiers produits alimentaires que les humains ont songé à mettre en boîte pour les préserver plus longtemps et pouvoir en consommer pendant les périodes de l'année où ils sont difficilement accessibles. Si le recours aux légumes en boîte est parfois nécessaire, il n'en demeure pas moins qu'il est nettement préférable au niveau nutritionnel d'utiliser des légumes frais. De plus, les légumes en boîte rivalisent rarement, en matière de goût, avec les légumes frais.

Les légumes nous apportent quotidiennement les vitamines et minéraux qui nous sont nécessaires ainsi qu'une portion importante de la quantité d'eau que nous devons consommer chaque jour pour bien fonctionner. En effet, la teneur en eau des légumes est de 85 % à 95 % de leur poids, exception faite du maïs et des petits pois dont la teneur en eau n'est que 75 %. Tout de même. Notons que si une personne mange comme nous devrions tous le faire, c'est-à-dire cinq portions de fruits et de légumes par jour, elle retire ainsi des légumes l'équivalent d'un litre d'eau, qui s'ajoute à la consommation quotidienne de 1,5 litre d'eau que nous prenons normalement. Pour ainsi faire un totale de 2,5 litres, ce qui constitue la consommation quotidienne idéale d'un humain.

La présence de toute cette eau dans les légumes a d'autres effets, mais cette fois directement sur ces aliments. À cause de tout ce liquide, les légumes (feuilles, racines, tiges, fleurs) sont sensibles aux micro-organismes et à la déshydra-tation. Il est donc important de bien les conserver et de les manger rapidement après leur achat ou leur récolte.

Malgré cet inconvénient, il faut se dire que les légumes sont riches en vitamines, en minéraux, en anti-oxydants et en fibres

Les vitamines des légumes

Les vitamines sont particulièrement présentes dans les légumes. Ainsi, les légumes orangés (carottes, poivrons rouges ou jaunes, tomates et citrouilles) contiennent beaucoup de vitamine A, tout comme les légumes verts (épinards, salades, brocoli, persil, cresson, etc.). La consom-mation de ces légumes nous fournit la moitié de nos besoins quotidiens de cette vitamine.

La vitamine C est également présente dans plusieurs légumes. En plus d'être un antioxydant, elle aide à absorber le fer et à lutter contre les infections. Ce qu'il faut savoir, c'est que l'organisme ne stocke pas la vitamine C. Il est donc important de s'en procurer chaque jour. On trouve cette vita-mine dans les choux de Bruxelles, le chou-fleur, les carottes, les épinards, les petits pois et les poivrons. Normalement, la consommation quotidienne de ces légumes en quantité suffisante assurera de combler les besoins de l'organisme.

Les légumes nous procurent une bonne dose de vita-mines B9, essentielle pour les femmes en âge d'avoir des enfants. Cette vitamine joue de plus un rôle important dans la reproduction des cellules nerveuses et la multiplication des globules rouges et blancs. On la trouve dans les épinards, le cresson, les choux de Bruxelles, les poireaux, les pois chiches, le chou-fleur, le brocoli et les asperges. Notons que certains légumes, comme les haricots verts ou jaunes, contiennent moins de ces vitamines, mais leur apport n'est pas négli-geable pour autant.

Tout cela sans compter que les légumes représentent une excellente source de fibres. D'ailleurs, on a longtemps vanté leurs mérites à cause de ces seules fibres. Heureusement, ils ont d'autres vertus. Néanmoins, les fibres sont nécessaires à une bonne digestion et, en plus, elles aident à conserver le système digestif en bonne santé. Fermentées dans le côlon, elles capturont les sels biliaires, luttent contre le cholestérol et, en formant un gel sur les parois intestinales, empêchent l'absorption de substances qui peuvent nuire à l'organisme. Elles constituent donc un élément dont on ne peut se passer pour être en bonne santé. Le problème, c'est que l'on n'en mange pas suffisamment. Pourtant, on trouve les fibres dans des légumes intéressants : l'aubergine, les choux, le brocoli, les champignons, les carottes, le chou-fleur, le cresson, les endives, le céleri, les épinards, les haricots jaunes et verts, le navet, les poivrons, le poireau, les artichauts, les petits pois, les fèves, pour ne nommer que ceux-là. On en trouve aussi dans les haricots blancs et rouges, les lentilles et les pois chiches.

Les minéraux

Outre les fibres et les vitamines, les légumes constituent un apport important en minéraux. Ils sont la deuxième source en importance en termes d'acquisition de calcium, immédiatement après les produits laitiers. En fait, ils peuvent procurer de 10 % à 30 % de nos besoins quotidiens en minéraux et la présence naturelle de certains acides dans les légumes aide l'organisme à absorber et à utiliser le calcium. On trouve le calcium dans les épinards, les radis noirs, les choux, le brocoli, le céleri, les haricots verts, les artichauts, les cœurs de palmier et les bettes, notamment.

Le fer, qui sert au transport de l'oxygène vers les muscles, se trouve dans les épinards, les petits pois, le persil, mais surtout dans les pois chiches, les lentilles et les différents haricots. Quant au magnésium, qui active de nombreuses enzymes, il se trouve dans les épinards, les haricots, les petits pois et les radis noirs.

Enfin, il ne faut pas perdre de vue que les légumes fournissent plusieurs antioxydants qui agissent sur notre santé en combattant les radicaux libres excédentaires, ce qui ralentit le processus de vieillissement. Une autre excellente raison de consommer des légumes en quantité. En plus, il y a déjà longtemps que les scientifiques ont démontré que l'apport d'antioxydants de source naturelle est plus efficace que la prise de suppléments alimentaires contenant des antioxydants.

Voici quelques effets directs de certains légumes sur l'organisme.

La carotte : elle éclaircit la peau, fortifie les dents, tonifie le cœur et régularise l'élimination intestinale.

Le radis noir : souverain pour une cure du foie, tout comme l'artichaut ; le radis noir agit sur les fonctions biliaires.

La bardane : elle agit sur le système immunitaire, le sang, les reins, les intestins et la peau.

La betterave : elle nourrit le sang de fer, de calcium, de phosphore, de sodium, de potassium et de magnésium, en plus de procurer des acides aminés. Elle agit sur le foie, la vésicule biliaire, le système lymphatique et les globules rouges.

Le radis blanc : il agit sur les voies pulmonaires, purifie le sang et dégage le mucus du foie et de la vésicule biliaire.

On pourrait ainsi faire la description de l'ensemble des légumes, mais je souhaite simplement vous démontrer à quel point ces aliments sont bénéfiques pour notre santé, sans compter qu'ils ont du goût à revendre.

Les fruits

Les fruits ont également leur importance dans l'alimentation. Avec les légumes, ils constituent un apport non négligeable des éléments qui nous sont nécessaires. Cependant, il faut savoir que la digestion des fruits est différente de celle des autres aliments. Ainsi, prendre des fruits APRÈS un repas, comme c'est souvent le cas ici et dans de nombreux pays du sud, est une mauvaise habitude qui, à la longue, peut provoquer une irritation du côlon. À court terme, il n'est pas étonnant qu'une personne qui mange des fruits après un repas souffre de ballonnements. Ces effets ne surviennent qu'avec des fruits crus. Lorsqu'ils sont cuits, leurs fibres sont beaucoup plus faciles à digérer. Une compote de fruits, par exemple, est un dessert tout à fait acceptable.

Les fruits constituent cependant de merveilleux goûters et, ingérés une heure avant les repas, ils sont parfaits. Pour en revenir aux repas, notons que certains fruits conviennent mieux que d'autres. Il s'agit de la pomme et de l'ananas. La pomme recèle une enzyme qui facilite la digestion des aliments contenant de l'amidon (le pain, les pâtes, le riz, etc.) alors que l'ananas recèle une enzyme qui facilite la digestion des protéines.

Autre remarque concernant les fruits : si vous tenez absolument à conclure un repas avec des fruits, assurez-vous de ne pas servir de légumes crus. Enfin, l'idée très répandue de commencer un petit déjeuner par un jus de pamplemousse ou d'orange n'est pas la meilleure qui soit, surtout si le petit déjeuner comprend des rôties ou des céréales. En effet, ces deux fruits acidifient la salive, ce qui rend difficile la digestion de l'amidon. Il vaudrait mieux tout simplement prendre son jus après...

Le sucre

On ne s'étendra pas longtemps sur le sujet. Tout le monde sait que le sucre est un ennemi. Je parle évidemment du sucre raffiné, principalement. Et je vais vous expliquer pourquoi ce produit est tellement nocif, comparativement au sucre naturel des légumes ou des fruits. La description de la fabrication du sucre, à mon avis, est bien suffisante pour qu'on en arrête la consommation.

En fait, il ne reste plus rien de naturel dans ce produit. On le fabrique en incorporant du lait de chaux au sucre de la canne et on met ensuite cette préparation en contact avec de la chaux vive, de l'anhydride sulfureux, de l'acide carbonique et du carbonate de soude. Cet étrange mélange est ensuite cuit à plusieurs reprises, refroidi et cristallisé. Puis, à l'étape du raffinage, on nettoie le tout avec du carbonate acide de calcium et on le blanchit avec de l'anhydride sulfureux avant de le teindre avec du bleu d'indanthrène, un dérivé du goudron. À cette étape, on a obtenu du saccharose, un produit qui ne contient plus aucun élément alimentaire assimilable. Il n'y a plus ni vitamines, ni enzymes, rien! L'effet du sucre blanc, par contre, n'est pas négligeable! Ce produit irrite les muqueuses, les glandes, les vaisseaux sanguins et l'ensemble des organes digestifs. En plus, il est corrosif et détruit les os et les dents, et l'organisme est totalement incapable de l'assimiler car pour y arriver, il faut de la thiamine et plusieurs vitamines du complexe B, des vitamines que le sucre élimine. La consommation de sucre, une fois passé le bien-être amené par le goût, provoque des symptômes de fatigue, de la somnolence, des douleurs musculaires, des pertes d'appétit et affecte même la qualité de la peau, sans compter le rôle évident que ce produit joue dans les causes de diabète.

CHAPITRE 5

Méthode de germination

La germination

Il est possible de faire la germination des céréales et des légumineuses. Ces techniques sont vieilles comme le monde et procurent des aliments d'une grande qualité qui sont la base de nombreux plats traditionnels au Moyen-Orient ou en Asie. Évidemment, on peut acheter des céréales ou des légumineuses germées dans le commerce, mais c'est si simple de le faire soi-même, sans compter qu'on s'assure alors de la qualité de l'aliment. La germination permet d'augmenter le volume d'eau dans la plante et la teneur en protéines s'accroît jusqu'à plus d'un tiers et, ce qui n'est pas à négliger, l'efficacité des protéines s'améliore. Dans le cas du germe de blé, par exemple, le taux de lysine peut être haussé de 50 %.

La méthode de germination est relativement simple. En ne prenant que quelques minutes de votre temps par jour, vous vous assurez d'une récolte quotidienne d'aliments frais et de qualité contrôlée. Les soins de base à apporter aux germinations consistent à leur procurer l'humidité et le drainage adéquats. Les germinations croîtront plus vite dans un milieu chaud ; le temps de trempage sera alors réduit et on devra rincer plus souvent. En général, le temps de trempage sera d'une nuit et on rincera les germes deux fois par jour. Assurez-vous d'avoir des graines de qualité biologique pour de meilleurs résultats et pour votre santé. Pour les germes qui donnent de la verdure, les exposer à la lumière lors des deux derniers jours de germination.

Le meilleur moment pour recueillir les germinations est de un à six ou sept jours après le début de la germination. Pour les petites graines (luzerne, trèfle, chou, moutarde), vous devrez enlever les téguments, qui ont tendance à faire pourrir vos germes pendant l'entreposage. Pour ce faire, déposez vos germes dans un grand saladier et remplissez-le d'eau. Les téguments flotteront à la surface et les graines non germées descendront dans le fond. Avec une petite passoire, enlevez les téguments. Bien égoutter les germes avant de les remiser au réfrigérateur. On peut les exposer quelques heures au soleil afin qu'elles développent un maximum de chlorophylle. Elle se garderont environ une semaine bien au frais et bien égouttées. Pour bien assécher la luzerne, le trèfle et le fenugrec, une essoreuse à salade fonctionne à merveille.

Le temps de germination dépend en grande partie de la température ambiante. En été, soyez vigilants et rincez plus souvent.

Matériel :

- Pots de verres de grandeurs variées
- Toile moustiquaire en nylon ou fibre de verre souple (vous trouverez cela en quincaillerie)
- Bandes élastiques solides
- Support à vaisselle avec bac qui retient l'eau (très utile)
- Plateaux, cabarets de plastique
- Terre à jardin ou de forêt ou terreau organique sans engrais chimiques
- Pulvérisateur à pompe
- Sacs de plastique
- Lampe *Vita-Lite* (facultatif)

Les jeunes pousses

Il est possible de cultiver un jardin intérieur dans sa maison ou son appartement avec un minimum d'équipement. En raison de leur haute qualité nutritive, les pousses de sarrasin, de tournesol et l'herbe de blé sont des aliment à inclure dans toute diète d'alimentation vivante. Le jardinage intérieur requiert peu de temps et d'efforts et est très économique. Un avantage de plus : la fraîcheur est garantie. Vous coupez et mangez. La laitue romaine, même biologique, peut avoir été coupée plusieurs jours avant d'arriver à votre estomac, surtout si elle vient de Californie.

Les jeunes pousses n'ont que quelques besoins simples : de la lumière, de l'eau, un peu de terre et une température propice à leur croissance. Pas besoin d'une longue expérience de jardinier pour produire des pousses parfaites.

Assurez-vous de placer vos pousses dans une pièce où elle sauront la lumière nécessaire pour croître. Ou encore utilisez une ampoule à cet effet.

Voici une technique simple pour faire de la germination.
Pour la luzerne, les lentilles, le trèfle, les fèves mung
(chop suey), les pois chiches, le blé.

Il suffit d'avoir un pot de verre à large ouverture d'une capacité d'environ un litre. On peut également utiliser un plat de verre capable de contenir un litre (ou 4 tasses). Il faut de plus une étamine (coton à fromage) ou une grille en plastique et un élastique. Dans tous les cas, préférez les graines biologiques. Notez qu'on trouve maintenant dans le commerce des plateaux spécialement destinés à la germination. Ils sont bien conçus, simples à utiliser et se rangent facilement.

étape 1 :

Employez une passoire pour laver les graines.

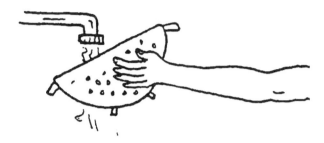

étape 2 :

Déposez les graines dans le pot ou le plat. Pour les graines de petite dimension, comme la luzerne, n'utilisez que 15 ml ou, si vous préférez, 1 cuillère à café. Pour les graines de grosse dimension, comme les lentilles, prévoyez de verser dans votre contenant 45 ml de graines, soit 3 cuillères à café.

étape 3 :

Recouvrez complètement les graines d'eau tiède. Il doit y avoir 1 pouce d'eau sur les graines. Fermez l'ouverture de votre bocal ou de votre bac avec l'étamine ou la grille que vous ferez tenir en place grâce à votre élastique. Laissez tremper au moins une nuit ou de 4 à 12 heures, selon la taille des graines.

étape 4 :

À la fin du trempage, rincez à l'eau fraîche et égouttez parfaitement pour éviter que les graines ne pourrissent. Jetez l'eau du trempage.

étape 5 :

Si vous utilisez un gros bocal, couchez-le sur le côté, en lui imposant un angle de 45 degrés et placez-le dans un endroit sombre dont la température se situe entre 21 et 27 degrés (70 et 80 degrés Fahrenheit).

Les graines ne doivent pas s'entasser dans l'étamine.

étape 6 :

Rincez les graines une ou deux fois par jour, en prenant bien soin de les égoutter parfaitement. La luzerne peut être consommée après cinq à sept jours de germination alors que les légumineuses seront prêtes après deux ou trois jours de germination.

Placez les aliments germés dans un contenant hermétique au congélateur. Ils peuvent être conservés jusqu'à sept jours au réfrigérateur.

CHAPITRE 6

Végétalien, végétarien ou cuisine vivante?

Comme je le disais, mon régime alimentaire me permettrait de m'inscrire dans la deuxième catégorie, soit celle des végétariens, même si les purs et durs pourraient contester mon affirmation. Cependant, je ne rejette pas – loin de là – la cuisine vivante, pas plus que je ne vais dénigrer ceux qui choisissent d'être végétaliens.

Quelles sont les distinctions entre ces deux groupes ? Elles sont relativement simples : les végétaliens observent un strict code alimentaire voulant qu'on ne consomme rien qui vienne du règne animal. Ces personnes ont mis de côté toute chair animale, qu'elle provienne de la viande, des poissons, mollusques, crustacés ou autres. En plus, elles ne touchent pas aux productions émanant d'animaux, comme le lait, le miel ou les œufs. Les motivations de ces gens sont diverses : un souci évident pour leur santé et, souvent, une vision plus politique de l'alimentation avec la dénonciation des méthodes d'élevage et d'abattage des animaux ou encore le sevrage trop rapide de jeunes animaux, par exemple, les veaux privés du lait de leur génitrice quelques heures à peine après leur naissance.

Les végétariens sont moins draconiens. S'ils consomment principalement des végétaux, ils acceptent d'inclure dans leur alimentation certains produits provenant du règne animal comme les œufs, le fromage ou le miel. Mais encore là, il y a, d'une façon générale, une dimension politique à cette pratique puisque plusieurs végétariens expliquent leur façon de se nourrir par des arguments écologiques ou éthiques.

La cuisine vivante est probablement celle dont je me rapproche le plus. En fait, c'est celle que je pratique : je favorise la consommation de légumes crus ou peu cuits, je mange parfois du poisson et j'utilise aussi du beurre.

Voici un exemple de mes menus : au petit déjeuner, je me sers une bonne cuillère à soupe de graines de lin avec des graines de sésame, et des graines de chia auxquelles j'incorpore de l'eau pour les hydrater avant d'ajouter des graines de kamut que j'ai préalablement laissées tremper une bonne dizaine d'heures afin d'en augmenter la teneur en minéraux et en vitamines. Je broie le tout dans un malaxeur avec de l'eau chaude et j'ajoute une cuillère à soupe d'huile d'olive pressée à froid. Il m'arrive également d'employer plutôt du seigle, du sarrasin, de l'amande d'avoine ou de l'épeautre. Cependant, je prends toujours soin d'avoir sous la main des graines de lin, de chia et de sésame.

Au dîner, je fais cuire dans de l'eau du riz brun avec du persil. Une fois le riz cuit, j'y rajoute de l'huile d'olive, de la sauce tamari, des poivrons crus, jaunes ou verts, de l'oignon rouge, de l'ail, du gingembre, de la tomate et les grains d'un épi de maïs fraîchement cuit. C'est délicieux !

Pour le souper, je peux me faire un potage aux lentilles auquel j'ajoute du céleri, de l'oignon, du poireau ou du bambou. Pour varier, on peut y mettre du poivron cru, de l'orange, de l'oignon rouge, des tomates, et bien d'autres choses encore. Avec une bonne tranche de pain de grains biologique et du beurre, c'est divin !

J'aime bien commencer le dîner et le souper par une salade de crudités, comme une salade de carottes râpées arrosée de jus d'orange et garnie de raisins frais ou séchés.

J'ai presque toujours, aussi, une salade de betteraves crues et râpées à laquelle j'ajoute de l'huile d'olive, de l'oignon rouge, de l'ail, du curcuma et du poivre noir. Parfois, je me fais une salade avec du brocoli cuit auquel je rajoute de l'huile d'olive, des oignons rouges, de l'ail, du parmesan râpé... Il m'arrive également de mettre tous ces ingrédients sur des pâtes alimentaires.

Il faut dire que j'aime bien consulter mon estomac avant de me préparer un repas. Je prends note des saveurs qui me viennent à la bouche avant de faire mes préparations. Il est toujours plus agréable de savourer des aliments que l'on désire manger. Et si, par malheur, il me vient une envie de chocolat ou de sucré, je passe par-dessus, mon foie et mon pancréas ne supportant plus ces éléments. Je préfère nettement m'imposer ce sacrifice plutôt que de subir l'état de fatigue que provoque mon foie quand je consomme du sucré. Sauf le miel, bien entendu.

À l'occasion, il m'arrive de manger du poisson... Pas très souvent, mais j'en mange encore. Enfin, pour ceux qui veulent varier leurs menus le plus possible, le recours aux légumineuses est une solution intéressante. Parfois, je fais tremper des pois chiches, des pois verts, des haricots blancs ou des fèves rouges. Chacune de ces légumineuses est riche en protéines et, accompagnées de légumes crus, elles procurent des repas savoureux et bénéfiques pour l'organisme. De plus, il est possible de les faire congeler. Personnellement, j'en ai toujours au congélateur. Il suffit d'y mélanger des légumes frais pour obtenir un repas sain en quelques minutes. Comme j'ai toujours une salade de légumes crus au frigo, c'est facile.

Notre corps a besoin de légumes crus pour recueillir tous les minéraux et vitamines dont il a besoin. La cuisson des légumes, malheureusement, leur fait perdre leurs vitamines et n'en conserve que les minéraux.

Ce qui est également d'une importance capitale est la consommation d'eau. On devrait en boire un verre ou deux dès le lever et de huit à dix autres par jour afin d'éliminer nos toxines et d'hydrater adéquatement notre peau, une belle peau étant un atout majeur dans la lutte contre le vieillissement.

Autre élément important concernant les repas : il est bien de manger lorsqu'on a faim, tout comme il est bien de se reposer lorsqu'on est fatigué. À ce sujet, sachez que je me permets régulièrement de faire une sieste après le dîner lorsque c'est possible. Ainsi, je retrouve toute mon énergie du matin.

Bien s'alimenter est, je crois, une très bonne façon de se procurer l'énergie voulue pour accomplir les choses qui nous plaisent et avoir le sentiment d'être encore utile plutôt que se contenter d'attendre la mort...

CHAPITRE 7

Les mains

Tout le monde, un jour ou l'autre, s'est frotté les mains de satisfaction. On le fait instinctivement. Par la même occasion, un sentiment de détente qui s'allie à notre satisfaction nous habite. Ce que peu de gens savent, c'est que les mains représentent les deux pôles, négatif et positif, de notre corps.

Lorsqu'on joint les mains pour les frotter ensemble, on provoque une friction entre les pôles qui permet de se recharger comme une batterie. On devient alors plus calme et on peut se préparer à faire circuler notre énergie vitale. Pour les sceptiques qui auraient tendance à douter de l'énergie qui nous habite, il n'y a qu'un petit exercice à faire. Si la pile d'un de vos appareils est à plat, frottez-vous vigoureusement les mains en tenant la pile entre vos paumes pendant une minute. Elle devrait retrouver assez d'énergie pour être utilisable pendant un bon moment...

Tout le monde sait à quel point le bout des doigts peut être sensible. L'extrémité de chacun des doigts est truffée de terminaisons nerveuses qui sont directement reliées au cerveau. Si vos mains sont tendues et raides, votre cerveau le sera aussi. Mais il y a plus... Chacun des doigts est également relié avec les différents systèmes et organes du corps humains, et c'est pourquoi il est impératif de bien les activer lors du déblocage de l'énergie. Voici, en bref, les organes auxquels sont reliés les doigts.

Points réflexes
Cartographie de la main droite

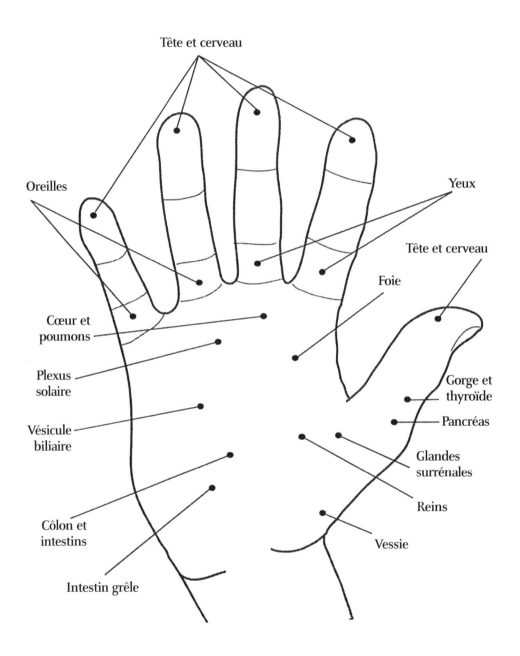

Tête et cerveau

Oreilles

Yeux

Tête et cerveau

Foie

Cœur et
poumons

Plexus
solaire

Gorge et
thyroïde

Pancréas

Vésicule
biliaire

Glandes
surrénales

Reins

Côlon et
intestins

Vessie

Intestin grêle

Paume de la main droite

Points réflexes
Cartographie de la main gauche

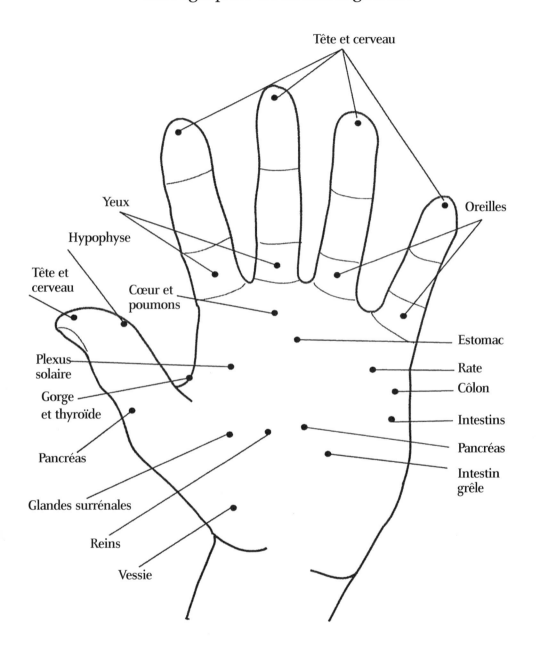

Tête et cerveau

Oreilles

Yeux

Hypophyse

Tête et cerveau

Cœur et poumons

Plexus solaire

Gorge et thyroïde

Pancréas

Glandes surrénales

Reins

Vessie

Estomac

Rate

Côlon

Intestins

Pancréas

Intestin grêle

Paume de la main gauche

Points réflexes
Cartographie de la main

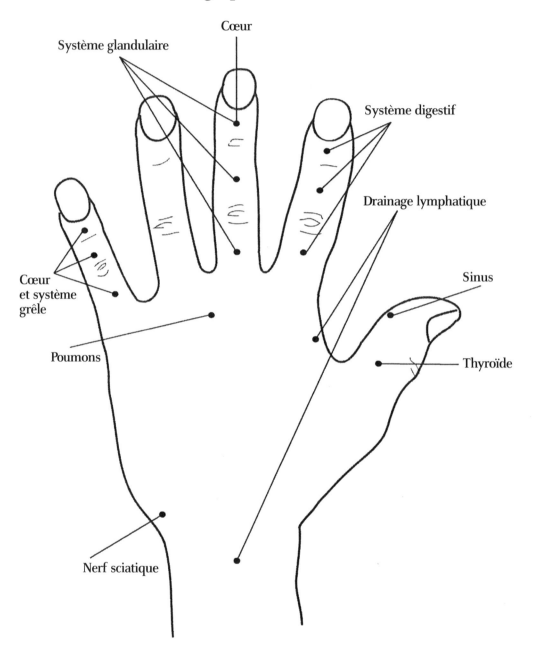

Cœur

Système glandulaire

Système digestif

Drainage lymphatique

Sinus

Cœur
et système
grêle

Poumons

Thyroïde

Nerf sciatique

Dos de la main

L'index : relié à l'appareil digestif par le méridien du côlon. Également relié à la bouche, ce qui permet d'atténuer certaines douleurs lors d'une rage de dents. Il suffit de faire pression sur la base externe de l'ongle.

Le majeur : relié à la circulation sanguine par le méridien appelé « maître du cœur ».

L'annulaire : relié au système nerveux central et révélateur de la santé d'une personne.

L'auriculaire : relié au cœur et à l'intestin grêle. On peut régulariser le fonctionnement de ces organes en appuyant sur l'ongle avec le pouce et l'index de l'autre main.

Le pouce : relié aux sinus, à la glande thyroïde.

Maintenant que ces précisions sont connues, mettons-nous au travail.

CHAPITRE 8

La méthode simple pour rétablir l'énergie en soi

Que vous soyez debout, couché dans votre lit, assis à table ou dans votre salon, vous devez faire ces exercices au moins une fois par jour. Vous pouvez les faire soit le matin, dès le réveil, ou le soir, avant le coucher ou à tout autre moment de la journée qui vous convient. Ce qu'il ne faut jamais perdre de vue, c'est que les énergies positives se trouvent sur le dessus du bras alors qu'en dessous on trouve les énergies négatives, tout comme sur les côtés du corps. À partir des gros orteils, en remontant le long de l'intérieur des jambes, on trouve également des énergies positives.

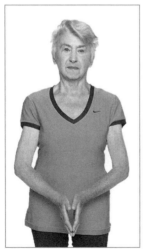  

D'abord, joignez les mains devant vous et frottez-les ensemble, aussi près du corps que possible.

Débloquez l'énergie, en exerçant une pression ferme sur l'arête de l'index de la main droite. Il faut exercer cette pression jusqu'au poignet.

Faites le même geste sur le dessus de l'index. Répétez les mouvements pour chacun des doigts, en ne négligeant pas le pouce. Chaque fois, si vous le désirez, prenez une grande respiration et massez le doigt en expirant. Étirez la poussée jusqu'au poignet.

Répétez l'exercice pour la main gauche.

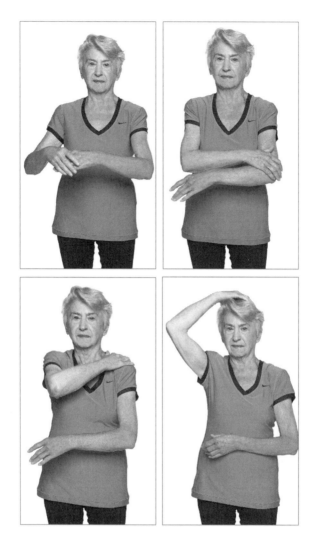

Une fois chacun des doigts de la main droite massé, enveloppez la pointe de vos doigts dans la paume de la main gauche (y compris le pouce) et, en exerçant une pression, remontez sur le dessus de votre bras jusqu'à gagner la tête et faites passer votre main au-dessus de la tête, le plus près possible.

Répétez l'opération, cette fois en partant de la pointe des deux côtés des doigts de la main gauche.

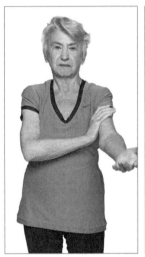

Ensuite, avec la paume de la main, redescendez le long de la face interne du bras jusqu'à la pointe des doigts afin de chasser l'énergie négative. Une fois l'énergie des deux mains débloquée, on poursuit le mouvement.

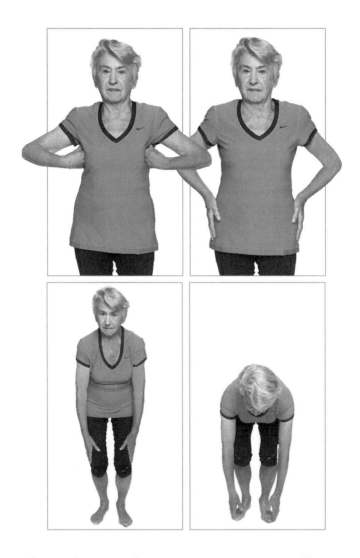

Il faut placer chacune des mains sous son aisselle respective et, en appliquant toujours une pression, faire descendre les mains le long des côtés du corps, jusqu'au bout des pieds, et poursuivre le mouvement vers l'avant pour chasser l'énergie négative au loin.

 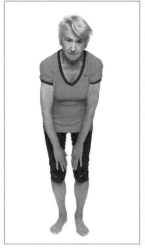 

N'oubliez pas : il faut se débarrasser de l'énergie négative.
Placez les doigts de chacune de vos mains sur la pointe de vos gros orteils et, en exerçant une pression, remontez-les le long de l'intérieur de vos jambes et de vos cuisses, passez sur l'abdomen, le haut du thorax et poursuivez en ramenant l'énergie sous les aisselles.

  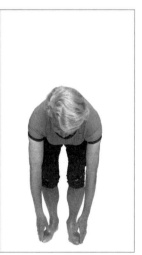

Frottez l'abdomen de l'intérieur de vos mains pendant quelques secondes. Redescendez les mains vers les orteils comme mentionné plus haut.

Répétez l'opération.

Effectuer des mouvements circulaires sur votre abdomen vous permet de remettre en circulation l'énergie de cette partie du corps.

Comme je l'ai mentionné auparavant, il s'agit là de la méthode simple pour recharger ses énergies et il est évidemment possible de pousser plus loin l'expérience en effectuant des massages bien localisés.

Massage des mains

Les mains, on le sait, sont reliées à différents organes. Il convient donc de les masser énergiquement pour stimuler ces organes.

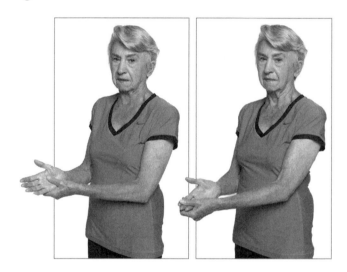

Le massage débute avec le pouce de la main droite. Il faut masser la partie intérieure du pouce afin de stimuler les poumons et d'éveiller le système lymphatique. La partie extérieure du pouce, quant à elle, stimulera le foie.

Pour que le massage soit efficace, effectuez un mouvement vers la pointe du doigt afin d'y concentrer l'énergie pour stimuler les méridiens qui sont de véritables fils conducteurs d'énergie.

Répétez l'opération pour chaque doigt en retenant que **l'index** est associé au tube digestif et au côlon et que la pointe de l'index, elle, est reliée à la bouche. **Le majeur**, quant à lui, stimule la circulation sanguine ainsi que le cœur alors que **l'annulaire** est associé au système nerveux et à la santé en général et que **l'auriculaire** concerne le cœur et l'intestin grêle.

CHAPITRE 9

Le massage de la tête

Le massage de la tête est délicat, mais bien fait, il s'avère d'une grande efficacité. En plus de permettre l'activation de plusieurs glandes, il procure une profonde sensation de détente.

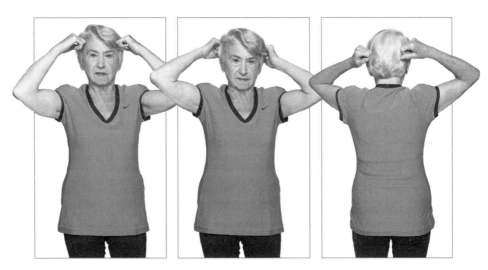

Il faut d'abord fermer le poing et commencer à frapper doucement avec les jointures sur chaque côté de la tête, en se dirigeant vers l'arrière de la tête, ce qui apporte détente et bien-être. On poursuit en frappant délicatement sur les sourcils afin de stimuler le pancréas, en n'oubliant pas de frapper légèrement entre les deux sourcils pour régulariser la vessie.

Masser l'arête du nez aide à la bonne digestion alors que masser le haut du nez assure le bon fonctionnement des glandes des yeux.

Toujours par petits coups, on frappe le dessous des yeux pour favoriser le bon fonctionnement des reins et des intestins avant de descendre de chaque côté du visage vers les mâchoires pour stimuler les sinus et de faire le contour de la bouche car, sous le nez, on active la rate alors que sur le menton et de chaque côté de celui-ci, on active les intestins et le pancréas. Au-dessous de la mâchoire, les points de stimulation sont reliés au liquide des yeux.

On poursuit le massage en frappant doucement les tempes et tout le contour de la tête en dessous de l'os crânien. On frotte ensuite ses mains et en partant du centre du front, on exerce de la pointe des doigts une pression pour remonter les fils conducteurs d'énergie qui ont leur source aux extrémités des doigts et des pieds.

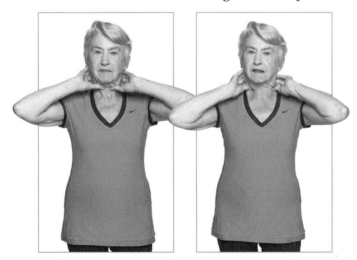

Enfin, avec les pouces, on fait pression sur le centre de la gorge vers les côtés extérieurs du cou, en descendant et ensuite en remontant, ce qui devrait aider le fonctionnement des glandes parathyroïdes et thyroïde.

Jetons un coup d'œil sur les différents points réflexes du visage et de la tête.

Comme on peut le voir sur les illustrations, le visage et la tête sont reliés à plusieurs organes. Ainsi, en stimulant certains points, on active l'énergie mentale. Un autre point permet de faire disparaître les flatulences alors que des pressions aux bons endroits stimulent respectivement les reins et les intestins. Un autre point stimule la digestion et un autre, la rate, et ainsi de suite. Enfin, un point dans l'oreille concerne l'ensemble du corps, mais nous y reviendrons puisque l'étude de l'oreille fait partie d'un autre chapitre.

Même si ce massage est plus complet que le minimum nécessaire pour énergiser ses chakras, il faut savoir que des spécialistes en réflexologie peuvent aller beaucoup plus loin et aider grandement les personnes qui souffrent de certains maux. Voici les zones, principalement celles de la tête, sur lesquelles les spécialistes peuvent intervenir quand des malaises sont ressentis par des individus.

Sur l'illustration du crâne, on remarque sept points réflexes. Il est possible de faire soi-même des pressions sur ces points pour les activer, mais la raison pour laquelle il faut parfois s'adresser à des spécialistes, c'est que ces derniers connaissent bien tous ces points et beaucoup d'autres et qu'ils sont en mesure d'agir rapidement avec efficacité, connaissant parfaitement tous les mouvements à exécuter, les pressions à exercer, en fonction des symptômes qu'on leur soumet. Remarquez qu'il est également possible de les consulter simplement pour l'effet de détente que provoque l'intervention des experts. Un peu comme le massage, si on veut, mais en ne perdant pas de vue que la pression sur des points réflexes procure plus qu'une simple détente.

Points réflexes
Cartographie du visage

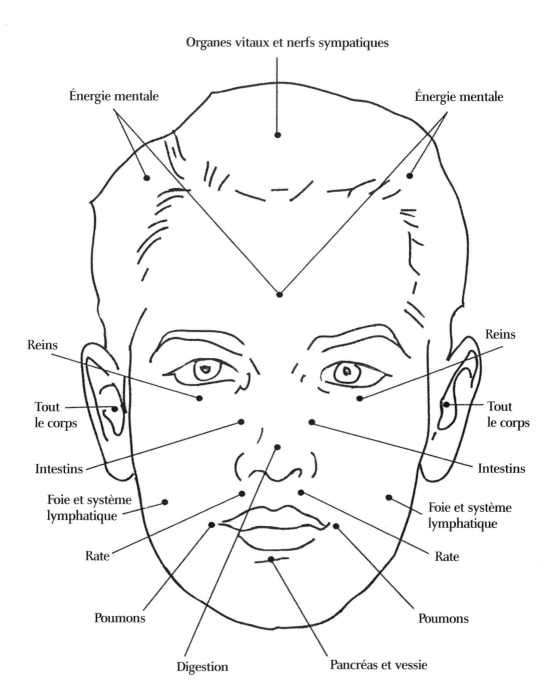

Organes vitaux et nerfs sympatiques

Énergie mentale

Énergie mentale

Reins

Reins

Tout le corps

Tout le corps

Intestins

Intestins

Foie et système lymphatique

Foie et système lymphatique

Rate

Rate

Poumons

Poumons

Digestion

Pancréas et vessie

Points réflexes
Cartographie du crâne

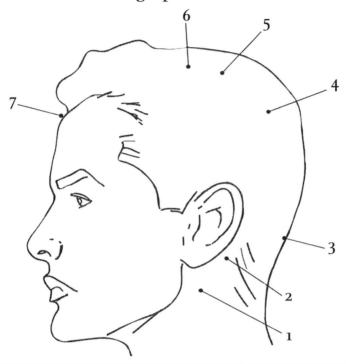

1. **Cerveau :** aide lors d'amnésie.

2. **Point «maître sensoriel» :** odorat, ouie, vue, goût et toucher.

3. **Cerveau :** aide lors de la congestion des veines. Stimule l'appétit.

4. **Équilibre énergétique :** aide le cerveau, le côlon et l'équilibre des liquides.

5. **Pylore et plexus nerveux cardiaque :** soulage les crampes, les gaz abdominaux et l'indigestion.

6. **Contrôle des fluides du crâne :** aide en cas de migraine.

7. **Estomac et cerveau :** permet une meilleure absorption d'oxygène dans le cervau et soulage les étourdissements.

Complétons la visite des points réflexes de la tête avec l'illustration suivante qui permet de constater qu'il est possible, à partir de la tête, d'intervenir sur presque tous les organes du corps.

Points Neuro-vasculaire
Cartographie

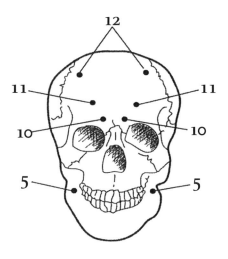

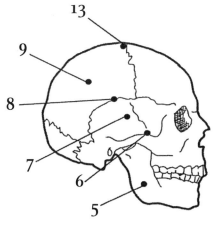

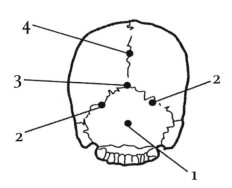

Point 1 L'éminence occipitale : utilisée pour les reins, les douleurs lombaires, l'hypertension et l'insomnie.

Point 2 La suture lambdatique : pour le maître du cœur et les problèmes des organes génitaux.

Point 3 La fontanelle postérieure : pour l'asthme, les allergies, le contrôle du stress et de la fatigue.

Point 4 La suture sagittale : concerne la rate, le pancréas et les maux de gorge.

Point 5 La mâchoire inférieure : pour l'estomac, les problèmes digestifs, les sinus, les yeux et le nez.

Point 6 L'os malaire : pour les reins, le cou, l'insomnie, l'hypertension et les douleurs lombaires.

Point 7 Le lobe temporal : c'est un triple réchauffeur qui concerne les problèmes de la thyroïde et un méridien gouverneur du système nerveux.

Point 8 La suture sphénoïdale : pour la rate, le pancréas, les allergies, le diabète et l'hypoglycémie.

Point 9 L'éminence pariétale : concerne le petit et le gros intestin, le maître du cœur et les reins.

Point 10 La glabelle : concerne la vessie.

Point 11 L'éminence frontale : pour l'estomac, la vessie et les malaises digestifs.

Point 12 Le lobe frontal : pour le foie, les maux de tête, l'anémie, les cauchemars et le somnambulisme.

Point 13 La fontanelle antérieure : pour les poumons, le cœur et le foie.

CHAPITRE 10

Le massage des pieds, des chevilles et des mollets

Les pieds ont également une grande importance dans la stimulation de nos organes. Voici donc une façon simple de les traiter, suivie d'une explication plus détaillée.

Il faut commencer ce massage par le pied droit. Avec les deux mains placées à la hauteur de la cheville, exercez une pression sur le dessus du pied et descendez jusqu'au bout des orteils. On fait ensuite pression de droite à gauche et vice-versa d'une main et de l'autre, à trois reprises.

Ensuite, avec les pouces, exercez une pression sur le dessus du pied, à partir des orteils et en vous dirigeant vers la cheville, ce qui activera le système lymphatique et contribuera à éliminer les toxines.

Massez chaque orteil en allant vers les bouts avant de les faire bouger séparément dans tous les sens. Il faut également faire, à trois reprises, un mouvement ascendant et descendant avec tous les orteils.

Ces exercices permettent de stimuler les méridiens qui ont une influence directe sur les organes. Par exemple, le gros orteil droit est lié à la stimulation des bronches et du foie alors que le gros orteil gauche est lié au méridien qui agit sur le pancréas. Les deux orteils avant le petit orteil de la jambe gauche, quant à eux, sont reliés à la digestion alors que le petit orteil a rapport avec les yeux.

Il faut ensuite disperser l'énergie sous le pied en débutant par la racine des orteils et en se dirigeant vers le talon avant de revenir jusqu'à la pointe du pied en s'attardant davantage sur les endroits sensibles. Faites ensuite plier le dessous du pied à trois reprises.

L'énergie positive se trouve sur le côté interne de la jambe et l'énergie négative sur le côté externe. Il est essentiel de le savoir si on veut obtenir un massage adéquat.

En refermant le poing, appliquez les jointures sur le sillon du tibia de la jambe opposée en remontant de la cheville au genou. Faites trois passages identiques. Ce sillon est parcouru par quatre méridiens importants qui agissent sur les reins, le pancréas, la rate, le foie et le petit intestin. En massant l'intérieur de la jambe droite, on stimule une veine reliée directement à une valve cardiaque, une connaissance qui est bien pratique lors de problèmes cardiovasculaires. Il est bon de savoir que l'intérieur de la jambe gauche stimule des points reliés aux intestins.

Sur la partie externe de la jambe, massez avec les jointures du genou à la cheville.

Appliquez ensuite les deux mains de chaque côté de la cheville et massez énergiquement tout en faisant bouger la pointe du pied. Ce massage active le système lymphatique et contribue à éliminer les toxines.

Points réflexes
Cartographie des pieds

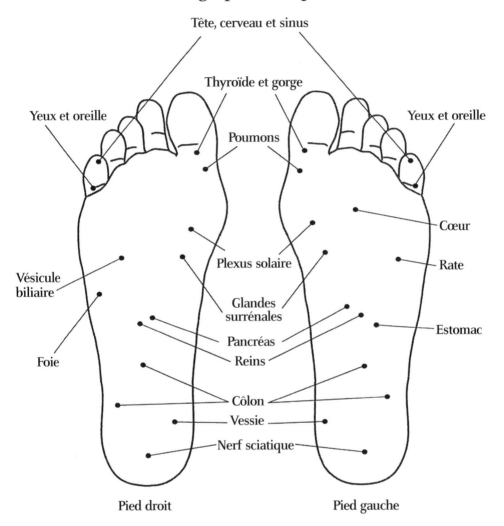

Tête, cerveau et sinus

Thyroïde et gorge

Yeux et oreille

Poumons

Yeux et oreille

Cœur

Rate

Vésicule
biliaire

Plexus solaire

Estomac

Glandes
surrénales

Pancréas

Foie

Reins

Côlon

Vessie

Nerf sciatique

Pied droit

Pied gauche

Généralement, ce type de massage est suffisant pour apporter confort et bien-être, et pour stimuler les organes les plus sollicités. Comme on peut le voir sur l'illustration, quand on examine les pieds en détail, on comprend bien que, comme c'est le cas pour la tête et les mains, presque tous les organes peuvent être rejoints grâce aux pieds. D'ailleurs, dans de nombreuses civilisations anciennes, le massage des pieds est d'une grande importance. C'est le cas, notamment, en Chine et dans les pays du sud-est asiatique où œuvrent de nombreux spécialistes de ces massages.

Les jambes

Il faut ensuite entreprendre le massage des jambes. On commence par réénergiser ses mains. Cette opération peut très bien se faire au sol.

Fermez le poing, mettez-le juste au-dessus du genoux et entreprenez une descente vers les hanches en exerçant une solide pression. Répétez ce mouvement à plusieurs reprises en insistant aux endroits les plus sensibles, afin de faire disparaître cette sensibilité en activant les méridiens. Pour ceux qui sont pressés, il est évidemment possible de masser les deux jambes en même temps. Poursuivez le massage en remontant et en mettant un peu de pression sur les hanches et le haut des cuisses.

Les deux mains à plat sur le ventre, entreprenez des cercles TOUJOURS DANS LE SENS DES AIGUILLES D'UNE MONTRE en mettant une bonne pression afin de rejoindre le système de Pecquet et d'ainsi renforcer le système immunitaire. Effectuez d'autres cercles, plus petits, à la hauteur du nombril, ce qui permet de faire fondre la graisse du ventre.

Élargissez ensuite la dimension de vos cercles pour stimuler le foie, le pancréas et tout le système digestif. Rapetissez ensuite vos cercles pour terminer au-dessus du nombril.

Refermez ensuite les poings et frappez doucement, juste sous le cou et en descendant jusqu'aux cuisses afin d'activer les méridiens.

Réénergisez vos mains tout en entreprenant un mouvement des bras pour atteindre le dessus de la tête.

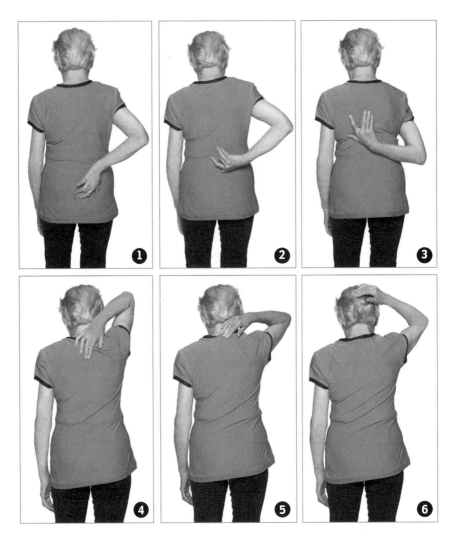

Le prochain mouvement se fait debout. Il faut aller chercher l'énergie, avec le majeur, à la hauteur du coccyx (1) et entreprendre la remontée de la colonne vertébrale, toujours avec le majeur, en se rendant le plus loin possible dans le dos (2, 3). Avec la même main et en vous servant toujours du majeur, passez par-dessus l'épaule (4) et repre-nez l'énergie où vous l'aviez laissée pour poursuivre la remontée de la colonne (5, 6) en ramenant la main jusqu'au sur le dessus de la tête, là où se situe le septième chakra, et poursuivez la course du majeur jusqu'au dessus du nez.

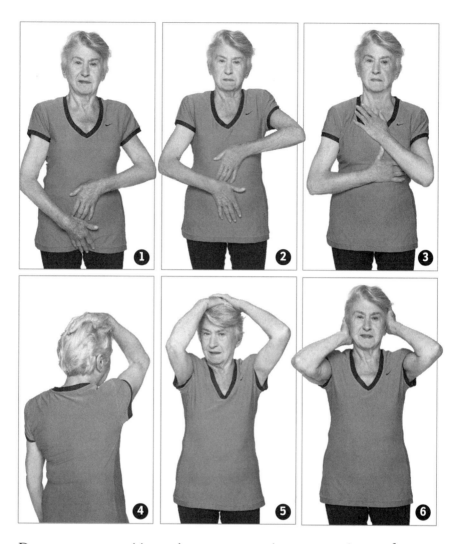

De nouveau, réénergisez vos mains et activez chacun des sept chakras en partant du pubis (1) et en remontant doucement jusqu'à la tête (2, 3, 4, 5) tout en maintenant une bonne pression. Notez bien qu'il faut réénergiser vos mains entre l'activation de chacun des chakras.

Enfin, placez les deux mains sur les oreilles et exercez une bonne pression afin d'activer les sous-chakras. (6)

CHAPITRE 11

Le massage des oreilles

On peut en apprendre beaucoup sur l'état de santé d'une personne en examinant ses oreilles. En effet, chaque partie de l'oreille évolue selon notre alimentation et cet organe contient également des points réflexes importants. Plusieurs acupuncteurs se contentent alors d'intervenir au niveau des oreilles, estimant qu'ils peuvent ainsi régler la plupart des problèmes.

Par ailleurs, les oreilles ont toujours été l'objet de pratiques particulières à travers les siècles et dans les différentes cultures. On n'a qu'à songer aux boucles d'oreilles. Dans certaines cultures, le port de tels bijoux n'est pas que décoratif : on considère que le port de boucles d'oreilles permet d'éviter des infections aux yeux ou d'obtenir plus d'énergie.

On peut également déceler la nature, ou plutôt les tendances d'un individu lors de l'examen des oreilles. Par exemple, le dessin du lobe peut indiquer qu'une personne a une nette tendance aux activités intellectuelles. Un lobe supérieur arrondi et bien dessiné révèle des tendances spirituelles. Il ne faut cependant pas perdre de vue qu'il ne s'agit que de formes dont on hérite à la naissance. Le dessin de l'oreille ne signifie donc pas que la personne a nécessairement acquis la qualité en question.

Il y a encore autre chose à propos des oreilles : elles sont à l'image de l'embryon humain et c'est pourquoi elles sont si importantes puisqu'elles permettent ainsi d'accéder, par réflexologie, à tous les organes. Si on regarde attentivement la cartographie de l'oreille (page 69), on constate que la forme d'un fœtus et celle de l'oreille sont assez similaires. De plus, si la mère d'un bébé se nourrit bien et parvient à mener une grossesse heureuse, sans stress, le bébé se développera harmonieusement et ses oreilles seront belles. Dès sa naissance, il sera possible, grâce à ses oreilles, de connaître son état de santé, sa vitalité et d'observer quelles tendances il pourrait adopter en grandissant. Quand l'enfant vieillira, l'observation de l'oreille permettra toujours de connaître son état de santé, d'autant plus que la formation et l'évolution des lobes, principalement, sont directement liées à notre alimentation. Ainsi, le lobe supérieur se développe bien s'il est approvisionné adéquatement en protéines, alors que la partie médiane de l'oreille exige des hydrates de carbone et que le lobe inférieur a besoin de minéraux.

Pour toutes ces raisons, il est impératif de bien traiter ses oreilles et un massage régulier aux deux oreilles peut s'avérer bénéfique à l'ensemble du corps.

Voici comment il convient de masser les oreilles.

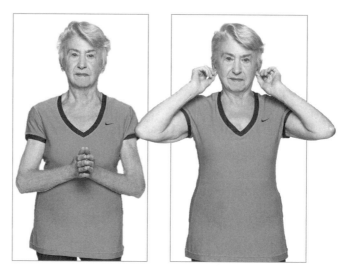

Commencez par énergiser vos mains en les frottant l'une contre l'autre. Étirez ensuite le lobe des oreilles afin de stimuler l'acuité visuelle. Tirez ensuite la partie médiane de l'oreille vers l'arrière, ce qui renforce les bras. Puis tirez la partie supérieure de l'oreille vers le haut, ce qui renforce les jambes.

Pincez et massez soigneusement tout le contour du pavillon. Massez en suivant les sillons à l'intérieur du pavillon avec la pointe de l'index et terminez en enfonçant le doigt dans l'oreille et en le faisant vibrer.

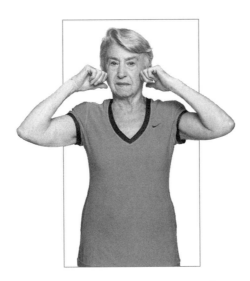

Frottez de nouveau vos deux mains l'une contre l'autre pour les énergiser. En refermant les poings, passez-les ensuite d'avant en arrière sur les oreilles puis de l'arrière vers l'avant, à plusieurs reprises.

De l'index et du majeur, repliez le pavillon vers l'avant puis vers l'arrière.

Les oreilles et les organes

Les oreilles, je l'ai déjà dit, sont très utilisées en acupuncture. Elles peuvent l'être aussi en réflexologie. L'illustration suivante fournit la liste des points réflexes qu'on trouve dans les oreilles.

Points réflexes
Cartographie de l'oreille

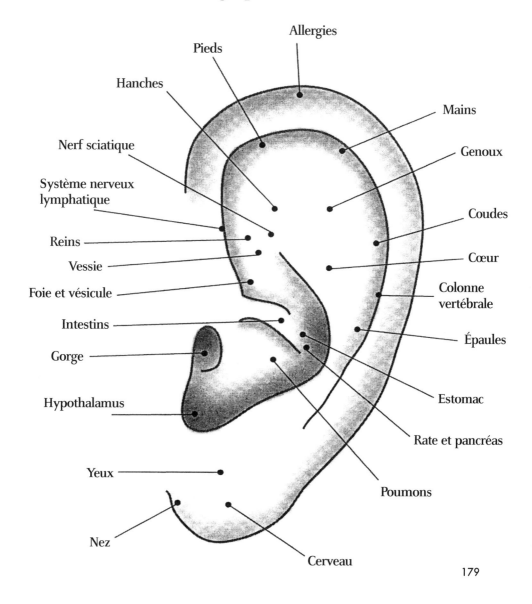

CHAPITRE 12

Les petits exercises quotidiens

Outre les massages stimulant les méridiens, le corps a aussi besoin de bouger de façon quotidienne pour éviter les raideurs musculaires et articulatoires. Il est nécessaire de rester souple, tant au niveau des muscles que du squelette. Pour y arriver, il suffit de quelques minutes par jour et même pas besoin de sortir du lit pour entreprendre une bonne journée!

Les torsions

Commençons par tendre les bras et joindre les mains au-dessus de la tête. Une fois ce mouvement effectué, sans

 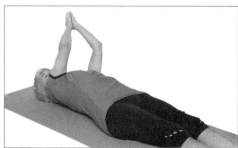

bouger les hanches, tournez le torse vers la gauche en tentant de toucher un point imaginaire le plus loin possible.

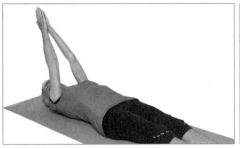 

Ramenez les bras toujours tendus au-dessus de la tête et basculez le torse de l'autre côté, toujours sans bouger les hanches. Répétez le mouvement 100 fois.

Balancier

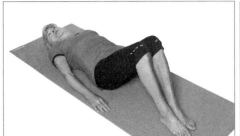 

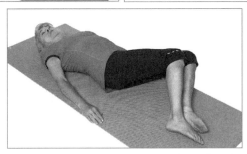

Ensuite, c'est au tour du bas du corps. Il suffit de plier légèrement les genoux et, cette fois-ci, sans bouger le torse, les genoux bien collés l'un à l'autre, entreprenez un mouvement de balancier, de la droite, d'abord, et ensuite de la gauche. Effectuez ces mouvements à 100 reprises, ce qui permet d'assurer une souplesse des hanches et d'étirer tous les organes du corps.

Trempoline

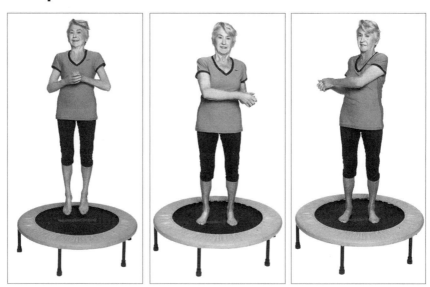

Personnellement, à ces quelques exercices, j'ajoute une session de mini-trampoline. Il s'agit d'un appareil qui mérite amplement un petit investissement, car il fait littéralement des miracles en nous permettant de garder souplesse et équilibre. Je commence par de simples sauts sur place que je répète une centaine de fois tout en effectuant des torsions du torse.

Ensuite, je fais des sauts en transférant mon poids d'une jambe sur l'autre, un exercice qui me garantit un équilibre parfait.

L'exercice de la tortue

Outre cela, je fais « l'exercice de la tortue », un petit truc mis au point par Edgar Cayce pour fournir de l'énergie à tous les nerfs qui prennent naissance dans le cou. Les illustrations suivantes vous expliquent visuellement les exercices adéquats. Ceux-ci sont simples, efficaces et exigent peu de temps.

Mouvement de Cayce

Étire, stimule et fournit de l'énergie à tous les nerfs qui prennent naissance dans le cou.

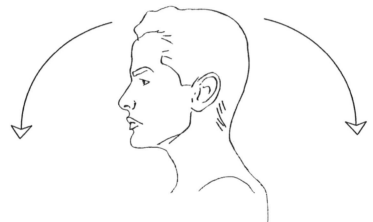

Pencher la tête vers l'avant puis vers l'arrière

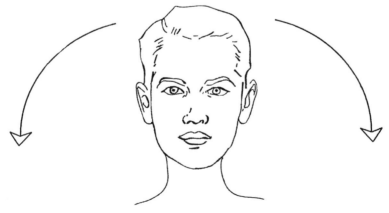

Pencher la tête à droite puis à gauche

NOTE : FAIRE CES EXERCICES LENTEMENT EN FORÇANT LÉGÈREMENT

Les bienfaits de la marche

Mine de rien, ces quelques minutes d'exercices procurent une sensation de bien-être et d'énergie qui nous met en forme pour le reste de la journée. Évidemment, si vous effectuez en plus une promenade d'une trentaine de minutes par jour, vous y gagnerez. « Marcher régulièrement, affirme le Centre canadien d'hygiène et de sécurité au travail, agit directement sur les appareils circulatoire et locomoteur :

- en réduisant le risque de maladies du cœur et d'accident vasculaire cérébral ;
- en faisant baisser la tension artérielle ;
- en diminuant le taux de cholestérol sanguin ;
- en augmentant la densité osseuse, ce qui prévient l'ostéoporose ;
- en atténuant les conséquences négatives de l'arthrose ;
- en soulageant les maux de dos.

Marcher régulièrement améliore aussi l'état de santé général et la longévité. Selon le rapport du Directeur du département de la Santé des États-Unis, « les marcheurs vivent plus longtemps et ils ont une meilleure qualité de vie ».

De plus, en marchant régulièrement, ajoute cet organisme, vous réduisez les risques de « vous fracturer la jambe ou la main en tombant, car vos os sont plus solides, et de vous blesser, car vos articulations ont une meilleure amplitude de mouvement et vos muscles sont plus flexibles ».

Un bénéfice qui est loin d'être marginal lorsqu'on est rendu à un certain âge ! Ajoutons à cela qu'en plus, c'est un exercice facile, qui ne demande pas d'équipement spécial. Juste une bonne paire de chaussures...

Épilogue

Nous voici donc rendus au moment où il faut songer à se quitter. J'espère que les informations que ce livre contient sauront vous être utiles. Vieillir en santé est un devoir, selon moi, et les quelques principes que j'ai exposés ici vous aideront à atteindre ce but.

Rappelez-vous que même si vous n'appliquez pas l'intégralité de ma méthode, vous gagnerez en énergie et en santé. Bien se nourrir est à la portée de tous et, encore une fois, il me semble que c'est un devoir que l'on a envers soi, mais aussi envers les autres. Pour la plupart d'entre nous, nous avons été actifs et indépendants toute notre vie. À présent que l'on peut prendre un peu de temps, que l'on peut se permettre de réfléchir abondamment, ce n'est vraiment pas le moment de devenir un poids pour nos proches ou nos enfants.

Au-delà des quelques principes alimentaires et physiques dont je vous ai parlé, il y a un élément à ne pas perdre de vue : la sérénité. Il est impossible de songer à vieillir en santé et en beauté si on est constamment soumis à un stress.

La tension provoque le vieillissement et il faut se prémunir contre elle. Comment ? Simplement en examinant toutes les beautés qui nous entourent. Un coucher de soleil, les fleurs, les arbres, les enfants qui jouent, les jeunes gens amoureux... Les sujets d'émerveillement ne manquant pas.

Avoir une telle sérénité permet également d'établir une harmonie entre notre corps et notre esprit. De nous rapprocher de notre âme. Si nous pouvions apprendre à vivre au niveau de notre âme, nous verrions que la meilleure partie de nous-mêmes, la plus lumineuse, est reliée à tous les rythmes de l'Univers. Nous nous reconnaîtrions véritablement comme les faiseurs de miracles que nous sommes capables d'être. Nous perdrions la peur, le regret, l'envie, la haine, l'anxiété et l'hésitation. Vivre au niveau de notre âme signifie plonger au-delà de notre ego, au-delà des limites mentales qui nous rivent aux événements et à notre monde physique.

Il nous est toujours possible de nous brancher sur la partie universelle de l'âme, champ infini de pur potentiel, et de changer le cours de notre destinée.

Le but ultime de tous nos objectifs est une satisfaction, une plénitude sur le plan spirituel, peu importe que nous l'appelions bonheur, joie ou amour. Il faut se donner tous les moyens d'atteindre ce but et l'un de ceux-ci est la méditation profonde !

Denise Chartré

Index des recettes

Index des recettes

Table des matières

IMPRIMÉ AU CANADA